ESSENTIAL GERMAN VERBS
Your Guide

Alexander Lee (CG)

Val Levick

Glenise Radford

Alasdair McKeane

HOW TO USE THIS BOOK

The verbs included in this book are those which students will meet and need to know, or at least recognise.

The book is divided into seven sections:

Section 1 (pages 1-11) explains **How to use German Verbs**.

Section 2 (pages 12-14) deals with **Regular Verbs** and widely used "nearly regular" verbs. Examples are printed out in full, followed by a list of common verbs which follow the same pattern.

Section 3 (pages 15-21) explains several **Features of all Types of Verb**.

Section 4 (pages 22-75) contains the **Irregular Verb Tables**, an alphabetical list of common irregular verbs with the most useful forms given in full.

Section 5 (pages 76-82) is a **German-English Index** of all the verbs included in this book, together with the number of the page where you will find how to use them.

Section 6 (pages 83-90) is an **English-German Index** of all the verbs included in this book, together with the number of the page where you will find how to use them.

Section 7 (page 91) is a **Grammar Index**.

Inside the back cover: To find a verb in this book

Throughout the book we have marked verbs which take **sein** in the perfect and pluperfect tenses with an *. Where these verbs sometimes take **haben** in these tenses (because they have a direct object), they are marked (*).
Separable verbs have the prefix written in **bold**, eg **an**rufen.

SECTION 1 - HOW TO USE GERMAN VERBS

TENSES AND PARTS OF GERMAN VERBS

The tenses and parts of German verbs which are given in this book are those which will be of most use to students. It is not a complete list of all the tenses.

There are two main types of verbs in German:
- **Regular verbs** follow a common pattern. Regular German verbs are often called **weak** verbs (because they do not have a "mind of their own").
  Some "nearly regular" verbs have minor variations.
- **Irregular verbs** do not always follow a common pattern and therefore have to be learnt. Irregular German verbs are often called **strong** verbs (because they are "strong-minded").

The **Infinitive** is the "name" of the verb and it is the form in which it will be found in a list of words or a dictionary. It means "to ...".

    spielen - *to play*   **schreiben** - *to write*   **fahren*** - *to travel*

The **stem** is the part of the infinitive which is left when the final **en** (or **n**) is removed.

The **Present Tense** is used for:
- events which are taking place at this moment in time
- events which take place regularly
- events in the future which are reasonably definite
- events which started in the past but are still continuing
  Ich wohne seit 2 Jahren in Malvern *I have been living in Malvern for two years*
- translating the English *am/are/is ... -ing* (*I am singing*)

The present tense is formed by adding the present tense endings to the **stem.**

The **Perfect Tense** is used:
- in conversation/letters to describe an action in the past which has been completed

It is made up of two parts, the present tense of the auxiliary **haben** or **sein** and, at the end of the the the clause or sentence, the past participle of the verb in question.

    ich habe ... gespielt   **ich habe ... geschrieben**   **ich bin ... gefahren**

    I played   *I wrote*   *I travelled*

Irregular verbs have irregular past participles and the common ones are included in the Irregular Verb Tables in Section 4 (pages 22-75).

A large number of otherwise regular verbs have a past participle which does not begin with **ge-** (pages 14-16, 20).

Generally verbs of movement to a new position, verbs of changes of state and **bleiben***, **sein*** and **werden*** have the auxiliary **sein** and are marked in this book with an *. The symbol (*) means that the verb can use either **haben** (usually if there is a direct object) or **sein**.

The **Imperfect Tense** (also known as **Simple Past Tense**) is used:
- in formal writing such as books and newspapers

ich spielte   **ich schrieb**   **ich fuhr**
I played   *I wrote*   *I travelled*

In practice, the Imperfect Tense is much more common in the 3rd person singular and plural than in its other forms, because it is used often to describe the actions of other people.   **er ging** *he went*   **sie waren** *they were*
- in speech and informal writing the following verb forms are relatively common:

modal verbs: ich/er/sie durfte, konnte, mochte, musste, sollte, wollte
other verbs: ich/er/sie blieb, fuhr, ging, hatte, kam, kaufte, machte, sah,
                          schien, stand, tat, trug, war + es gab + weather verbs

The **Imperative** is used:
- to give a command, to tell someone to do something, or not to do something, to give advice

The **du, wir, ihr** and **Sie** forms are used as appropriate:
- **du** is used to one person you know well - a member of your family, a child or a pet
- **wir** is used to translate the English *"Let's do something, let us go somewhere"*
- **ihr** is used to two or more people you know well, or to two children, pets or members of your family
- **Sie** is used to one or more adults you do not know very well

For **regular** verbs the imperative is formed as follows:

| du spielst | > | **spiel!** | wir spielen | > | **spielen wir!** |
| ihr spielt | > | **spielt!** | Sie spielen | > | **spielen Sie!** |

For **separable** verbs the prefix is the last word:

| du rufst **an** | > | ruf **an!** | wir rufen **an** | > | rufen wir **an!** |
| ihr ruft **an** | > | ruft **an!** | Sie rufen **an** | > | rufen Sie **an!** |

Some **irregular** verbs follow the same pattern:

| du schreibst | > | **schreib!** | wir schreiben | > | **schreiben** wir! |
| ihr schreibt | > | **schreibt!** | Sie schreiben | > | **schreiben** Sie! |

Don't forget that some **irregular** verbs have vowel changes between the infinitive and the **du** form. Some change again for the imperative. Check the Irregular Verb Tables (pages 22-75).

| du siehst | > | **sieh!** | du fährst | > | **fahr!** |

Sometimes an **e** can be added to the **du** form:

                    spiele!   **schreibe!**   **siehe!**

In the verb tables we have printed the form most often used.

Some verbs including **sein***, **haben** and **werden*** have irregular imperatives.

The **Future Tense** is used:
* for actions or events which will take place in the future, often at a time which is quite distant from the present moment.

The future is formed in the same way for both regular and irregular verbs.
The verb is made up of two parts, the present tense of **werden** and, at the end of the clause or sentence, the **infinitive** of the verb in question.

Ich **werde** auf die Uni **gehen**   *I shall/will go to university*

Note that you can often refer to future time using a suitable adverb of time and the present tense.

Morgen **lerne** ich Deutsch   *I shall be learning German tomorrow*

The **Conditional Tense** is used:
* to express wishes
  Ich **würde** gern **schlafen**   *I would/might like to sleep*
* to write and talk about things which may or may not happen:
  Ich **würde** vielleicht in Köln wohnen   *I would/might live in Cologne perhaps*

It is formed by using **ich würde**, etc (see page 7) and the **infinitive** at the end of the main clause. The Conditional tense is regular for all verbs.
The following forms are also commonly found and are best learnt as vocabulary at this level:

ich möchte	ich könnte	ich sollte	ich wäre	ich hätte gern
I would like	*I could*	*I ought to*	*I would be*	*I would like*

The **Pluperfect Tense** is used:
* to translate the English *had played, had written, had travelled,* etc.

It is formed by using the imperfect tense of the auxiliary **haben** or **sein** with the past participle of the relevant verb at the end of the main clause. The key word for the English meaning in the pluperfect tense is **had**, together with the past participle.

Ich **hatte** oft Golf **gespielt**   *I had often played golf*

Remember that *have seen* and *saw* are **not** versions of the pluperfect.

The **Past Participle** is the part of a verb used with an auxiliary verb, **haben** or **sein,** to form the Perfect and Pluperfect tenses and is the last word in a main clause.
In English the past participle often ends in **-en -ed** or **-t:**

given, looked, bought

In German the past participle ends in **-t** or **-en** and often begins with **ge:**

gespielt   **ge**schrieben   **ge**fahren   besucht   telefoniert

For examples where no **ge-** is used, see pages 14-16, 20.
All regular past participles end in **-t**. Irregular verbs sometimes have a vowel change in the past participle. Check the Irregular Verb Tables (pages 22-75).

QUESTIONS

In German questions are formed by inverting the subject and verb:
    Spielst du Tennis?   *Do you play tennis?*
A question word can be added:
    Wann spielst du Tennis?   *When do you play tennis?*

SINGULAR OR PLURAL?

- **singular** refers to one person or thing only: **ich, du, Sie, er, sie, es, man, Sam**
- **plural** refers to two or more persons or things: **wir, ihr, Sie, sie, die Kinder**

PERSONS OF THE VERB

There are three persons of the verb. They can be either singular or plural.

The first person includes the speaker: **ich, wir**
The second person is being talked to by the speaker: **du, ihr, Sie**
The third person is being talked about: **er, sie, es, man, Sam**, sie, **die Kinder**

SUBJECT OR OBJECT?

- The **subject** is the person or thing performing the action of the verb:
    Der Hund sieht den Mann   *The dog sees the man*
- The **object** of the verb is the person or thing receiving the action of the verb:
    Der Hund sieht **den Mann**   *The dog sees **the man***

PREFIXES

In German there are many prefixes. These are found at the front of infinitives.
Both regular and irregular verbs can have prefixes.

Inseparable prefixes cannot separate from the rest of the verb and do not have a **ge** in the past participle: verstehen   ich verstehe   ich habe verstanden

Separable prefixes are printed in this book in **bold** at the start of infinitives
(eg **ab**fahren). They behave as follows:

- in a main clause the prefix is found at the end in the present and imperfect tenses
    Der Zug fährt um 10 Uhr **ab**   *The train leaves at 10 o'clock*
- in the perfect and pluperfect tenses the prefix comes in front of the **ge** of the past participle
    Der Zug ist um 10 Uhr **ab**gefahren   *The train left at 10 o'clock*
- **zu** with a dependent infinitive comes between the prefix and infinitive
    Ich hoffe, mit dem Zug **ab**zufahren   *I hope to leave by train*
- in subordinate clauses with one-word verbs the prefix remains with its verb
    Ich war da, als der Zug **ab**fuhr   *I was there when the train left*
- in commands the prefix is found at the end of the clause
    Ruf mich um zehn Uhr **an**!   *Phone me at ten o'clock*

WORD ORDER

- In a main clause the verb is the second idea. It may come after the subject, after another idea, or after a subordinate clause. In compound tenses such as the perfect tense, the auxiliary (**haben** or **sein**) occupies the position of second idea in the main clause, while the past participle is at the end of the main clause. The rest of the main clause is sandwiched between the two.

  In the same way the main part of a separable verb occupies the position of the second idea in the main clause and the separable prefix comes at the end of the main clause.

  A modal verb takes the second position in the main clause. If there is an infinitive it goes to the end of the main clause.

  Our preference is to call this rule the "1 - 2 - 3 rule".

	VERB		
1st idea	**2nd idea**	**3rd idea**	
Ich	**gehe**	heute in die Stadt	
Heute	**gehe**	ich in die Stadt	
In die Stadt	**gehe**	ich heute nicht	
Wenn es sonnig ist,	**gehe**	ich in die Stadt	
Ich	**bin**	in die Stadt	gegangen
Ich	**habe**	ein Buch	gekauft
Der Bus	**kommt**	um neun Uhr	an
Ich	**will**	eine Banane	essen
Er	**muss**	ins Bett	gehen

- If two main clauses are joined by a co-ordinating conjunction such as **und, aber**, **oder** or **denn**, the conjunction does NOT count in the word order for the 1 - 2 - 3 rule and has no effect on it.

     1   2   3   1   2   3
  Ich **mag** Mathe **aber** ich **mag** lieber Chemie
  I like Maths but I prefer Chemistry

- If a clause is joined to the rest of the sentence by a subordinating conjunction, the verb (or the auxiliary) goes to the end of that clause. The past participle comes before the auxiliary and an infinitive comes before the verb it depends on.

  Ich fahre mit dem Bus zur Schule, **wenn** es um 8 Uhr **regnet**
  Wenn es um 8 Uhr **regnet,** fahre ich mit dem Bus zur Schule
  I travel to school by bus if it is raining at 8 o'clock
  Renate ist glücklich, **weil** sie gute Noten bekommen **hat**
  Renate is pleased because she has got good marks
  Jörg weiß, **dass** er seine Hausaufgaben machen **muss**
  Jörg knows that he must do his homework

ENGLISH MEANINGS OF TENSES

There are more forms of each tense in English than there are in German.
Ich spiele is the one and only form of the present tense in German, but there are
three possible forms in English: *I play, I am playing, I do play.* The three English forms
are used in a variety of situations whereas, in German, this choice of form does not
exist. This is also true of many of the other tenses. As well as meaning *one*, **man** can
be used for *we*, and also for *they*, when *they* are unknown people, often in authority.

Present Tense

ich spiele	*I play, I am playing, I do play*
du spielst	*you play, you are playing, you do play*
er spielt	*he plays, he is playing, he does play*
sie spielt	*she plays, she is playing, she does play*
es spielt	*it plays, it is playing, it does play*
man spielt	*one plays, one is playing, one does play*
wir spielen	*we play, we are playing, we do play*
ihr spielt	*you play, you are playing, you do play*
Sie spielen	*you play, you are playing, you do play*
sie spielen	*they play, they are playing, they do play*

Perfect Tense

ich habe ... gespielt	*I played, I did play, I have played*
du hast ... gespielt	*you played, you did play, you have played*
er hat ... gespielt	*he played, he did play, he has played*
sie hat ... gespielt	*she played, she did play, she has played*
es hat ... gespielt	*it played, it did play, it has played*
man hat ... gespielt	*one played, one did play, one has played*
wir haben ... gespielt	*we played, we did play, we have played*
ihr habt ... gespielt	*you played, you did play, you have played*
Sie haben ... gespielt	*you played, you did play, you have played*
sie haben ... gespielt	*they played, they did play, they have played*

Imperfect Tense

ich spielte	*I was playing, I used to play, I played*
du spieltest	*you were playing, you used to play, you played*
er spielte	*he was playing, he used to play, he played*
sie spielte	*she was playing, she used to play, she played*
es spielte	*it was playing, it used to play, it played*
man spielte	*one was playing, one used to play, one played*
wir spielten	*we were playing, we used to play, we played*
ihr spieltet	*you were playing, you used to play, you played*
Sie spielten	*you were playing, you used to play, you played*
sie spielten	*they were playing, they used to play, they played*

Imperative

Spiel!	*Play!*
Spielen wir!	*Let's play!*
Spielt!	*Play!*
Spielen Sie!	*Play!*

Future Tense

ich werde ... spielen	*I shall/will play, I shall/will be playing*
du wirst ... spielen	*you will play, you will be playing*
er wird ... spielen	*he will play, he will be playing*
sie wird ... spielen	*she will play, she will be playing*
es wird ... spielen	*it will play, it will be playing*
man wird ... spielen	*one will play, one will be playing*
wir werden... spielen	*we shall/will play, we shall/will be playing*
ihr werdet ... spielen	*you will play, you will be playing*
Sie werden ... spielen	*you will play, you will be playing*
sie werden ... spielen	*they will play, they will be playing*

Conditional Tense

ich würde ... spielen	*I would/might play, I would/might be playing*
du würdest ... spielen	*you would/might play, you would/might be playing*
er würde ... spielen	*he would/might play, he would/might be playing*
sie würde ... spielen	*she would/might play, she would/might be playing*
es würde ... spielen	*it would/might play, it would/might be playing*
man würde ... spielen	*one would/might play, one would/might be playing*
wir würden ... spielen	*we would/might play, we would/might be playing*
ihr würdet ... spielen	*you would/might play, you would/might be playing*
Sie würden ... spielen	*you would/might play, you would/might be playing*
sie würden ... spielen	*they would/might play, they would/might be playing*

The Pluperfect Tense

ich hatte ... gespielt	*I had played, I had been playing*
du hattest ... gespielt	*you had played, you had been playing*
er hatte ... gespielt	*he had played, he had been playing*
sie hatte ... gespielt	*she had played, she had been playing*
es hatte ... gespielt	*it had played, it had been playing*
man hatte ... gespielt	*one had played, one had been playing*
wir hatten ... gespielt	*we had played, we had been playing*
ihr hatten ... gespielt	*you had played, you had been playing*
Sie hatten ... gespielt	*you had played, you had been playing*
sie hatten ... gespielt	*they had played, they had been playing*

MODAL VERBS

- In German certain verbs are used with the infinitive of another verb (the dependent infinitive). These are the modal verbs. Anyone who learnt:
  Ich kann Hockey spielen, etc in the first weeks of learning German will know them.
  The modal verbs are:

dürfen (page 29)	**können** (page 42)	**mögen** (page 46)
to be allowed to	*to be able to*	*to like to*
müssen (page 47)	**sollen** (page 60)	**wollen** (page 74)
to have to	*to ought to*	*to want to*

- The perfect tense of modal verbs is awkward. Students are advised to use the imperfect tense of modal verbs when a past tense is needed.
  Ich **wollte** ins Kino gehen   *I **wanted** to go to the cinema*

THE INFINITIVE WITHOUT *ZU*

The infinitive without **zu** is found at the end of the main clause.
No **zu** is used:

- after modal verbs. See above
  Er **will** eine Hose **kaufen**   *He **wants to buy** a pair of trousers*

- after some verbs of perception: **fühlen, hören, sehen, spüren**
  Ich **sah** sie **ankommen**   *I saw her arrive*

- after **lassen**, meaning to have someone do something for you
  Ich **lasse** meinen Wagen immer **reparieren**. Ich kann das selber nicht
  I always have my car repaired. I can't do it myself

- after certain verbs of motion - **fahren***, **gehen***, **kommen*** and **schicken**
  The verb in the infinitive gives the reason for motion.
  Maria **geht** jetzt **schlafen**   *Maria is going to bed*
  Vati **fährt** um zwei Uhr **einkaufen**   *Dad is going shopping at 2 o'clock*

THE INFINITIVE WITH *ZU*

The infinitive with **zu** is found at the end of the clause. It is used:

- after verbs such as: beginnen, bekommen, bleiben*, brauchen, empfehlen, hoffen, raten, scheinen, vergessen, versprechen, **vor**haben and wissen.
  Ich hoffe, im nächsten Sommer nach Österreich **zu fahren**
  I hope to travel to Austria next summer

For separable verbs the **zu** is inserted between the separable prefix and the infinitve of the verb. It is written as a single word.
Ich habe vor, heute Abend mit meinen Freunden aus**zu**gehen
I intend to go out with my friends this evening

- in the constructions **um ... zu, ohne ... zu, anstatt ... zu, statt ... zu** and **außer ... zu**
Ich gehe in den Supermarkt, **um** Brot **zu** kaufen
I'm going to the supermarket (in order) to buy bread

VERBS FOLLOWED BY THE NOMINATIVE

The following verbs are followed by the Nominative case:
bleiben*, heißen, scheinen, sein*, werden*

Du bist **mein bester Freund**   *You are my best friend*
Der Junge wird **ein guter Spieler**   *The boy is becoming a good player*

VERBS FOLLOWED BY THE DATIVE

Some verbs are followed by the Dative case.
This seems a bit strange to English-speaking learners of German. You just have to learn which they are.

- Common verbs which take the Dative include: helfen, folgen*, danken

  Hilf **mir**! *Help me!* Folgen Sie **ihm**! *Follow him!* Ich danke **dir** *I thank you*
  Ich habe **meinem Vater** in der Küche geholfen
  I helped my father in the kitchen

- Less common ones include:
  ähneln, antworten, begegnen*, gehören, gleichen, passen, raten, schaden, verzeihen, **weh**tun, **zu**hören
  Die Tasche gehört **mir**   *The bag belongs to me*
  Ich verzeihe **dir**   *I forgive you*

- Verbs such as **passieren*** and **geschehen*** meaning to "happen to someone" are used with the Dative:
  So etwas ist **deiner Schwester** nie passiert
  Nothing like that ever happened to your sister

VERBS FOLLOWED BY A PREPOSITION

Many verbs are idiomatically followed by a particular preposition.
Here, the prepositions are listed alphabetically.

- an + Accusative   denken an, sich erinnern an, sich gewöhnen an

- an + Dative   **teil**nehmen an, es fehlt mir an

- auf + Accusative   blicken auf, sich freuen auf, sich konzentrieren auf, sich verlassen auf, warten auf

- auf + Dative   bestehen auf

- aus + Dative   bestehen aus

- für + Accusative   danken für, halten für, sich interessieren für, sorgen für

- mit + Dative   **auf**hören mit, sich beschäftigen mit, sprechen mit, telefonieren mit, sich unterhalten mit, vergleichen mit, **zusammen**stoßen mit

- nach + Dative   sich erkundigen nach, fragen nach, riechen nach, rufen nach, schmecken nach, suchen nach

- über + Accusative   sich ärgern über, sich freuen über, sich informieren über, reden über, schreiben über, sprechen über, sich streiten über, sich wundern über

- um + Accusative   sich bewerben um, bitten um, ums Leben kommen*, sich kümmern um

- von + Dative   **ab**hängen von, denken von, sich erholen von, erzählen von, halten von, hören von, lesen von, reden von, sprechen von, träumen von, überzeugen von

- vor + Dative   Angst haben vor, retten vor, sich schämen vor, schützen vor, warnen vor

- zu + Dative   **bei**tragen zu, **ein**laden zu, gehören zu, veranlassen zu

IMPERSONAL VERBS

Some verbs are used with the subject **es**. These are known as impersonal verbs, because the identity of **es** is vague. They include the following:

- Weather verbs:

Es regnet	*It is raining*
Es friert	*It is freezing*

- Verbs referring to noises and other natural occurrences:

Es klingelte	*The doorbell rang*
Hier zieht es	*It's draughty here*

- With *sein** and *werden**:

Es ist spät	*It is late*
Es wurde kalt	*It got cold*

- In various idioms:

Es gibt	*There is/are*
Wie geht es dir?	*How are you?*
Es macht nichts	*It doesn't matter*
Es ist mir kalt	*I am cold*
Es ist mir warm	*I'm warm*
Es gefällt mir	*I like it*
Es gefällt mir nicht	*I don't like it*
Es gelingt mir	*I succeed*
Es ist mir gelungen	*I succeeded*
Es geschieht	*It happens*
Es lohnt sich nicht	*It's not worth it*
Es passiert	*It happens*
Es passt mir nicht	*It doesn't suit me*
Es tut mir Leid	*I am sorry*
Es tut weh	*It hurts*
Es reicht mir	*That's enough for me*
Es schmeckt mir nicht	*I don't like the taste*
Es kommt darauf an	*It depends*

11

SECTION 2 - REGULAR VERBS

spielen - to play		spielen, spielt, spielte, hat … gespielt
Imperativ *Imperative*	*Präsens* *Present*	*Perfekt* *Perfect*
spiel!	ich spiele	ich habe … gespielt
	du spielst	du hast … gespielt
	er/sie/es/man spielt	er/sie/es/man hat … gespielt
spielen wir!	wir spielen	wir haben … gespielt
spielt!	ihr spielt	ihr habt … gespielt
spielen Sie!	Sie spielen	Sie haben … gespielt
	sie spielen	sie haben … gespielt
Imperfekt *Imperfect*	*Futur* *Future*	*Plusquamperfekt* *Pluperfect*
ich spielte	ich werde … spielen	ich hatte … gespielt
du spieltest	du wirst … spielen	du hattest … gespielt
er/sie/es/man spielte	er/sie/es/man wird … spielen	er/sie/es/man hatte … gespielt
wir spielten	wir werden … spielen	wir hatten … gespielt
ihr spieltet	ihr werdet … spielen	ihr hattet … gespielt
Sie spielten	Sie werden … spielen	Sie hatten … gespielt
sie spielten	sie werden … spielen	sie hatten … gespielt

There are many regular verbs which follow the pattern of **spielen**.

Verbs ending in -**ern** and -**eln** remove only the **n** before adding endings.

For convenience the most frequently occurring ones have been divided into lists below and on page 13.

Very common regular verbs: (for meanings of verbs see **pages 76-82**)

bauen, brauchen, decken, fragen, glauben, hoffen, holen, hören, kaufen, lachen, legen, lernen, lieben, machen, packen, parken, sagen, sammeln, schicken, schmecken, sparen, spielen, stecken, stellen, suchen, wechseln, wohnen, wünschen, zahlen, zeigen

Other common regular verbs: (for meanings of verbs see **pages 76-82**)

blicken, campen, danken, dauern, fehlen, feiern, folgen*, frühstücken, gucken, klingeln, klopfen, kochen, kriegen, lächeln, meinen, merken, reichen, schauen, schenken, schneien, spülen, surfen, tanken, teilen, trennen, üben, wandern*, warnen, wecken

* takes **sein** in perfect and pluperfect tenses

Less common regular verbs: (for meanings of verbs see **pages 76-82**)

ähneln	hageln	pflücken	stören
ändern	handeln	picknicken	streiken
angeln	hupen	planen	tauchen*
ärgern	jagen	plaudern	tauschen
basteln	joggen	prüfen	täuschen
bellen	kämpfen	quatschen	trauen
buchen	kegeln	rauchen	träumen
bügeln	kichern	reinigen	trimmen
bummeln*	klauen	rudern	turnen
dienen	klettern	schaffen	wagen
dolmetschen	leben	schälen	wählen
donnern	leeren	schlendern*	weinen
drehen	liefern	schleppen	windsurfen
drucken	loben	schmieren	winken
drücken	lösen	schmuggeln	wischen
eilen*	mähen	schnurren	sich wundern
faxen	malen	schwärmen	zählen
fischen	mischen	segeln	zittern
flüstern	mogeln	siegen	zögern
fühlen	nähen	sorgen	zweifeln
führen	nerven	speichern	
füllen	pauken	spüren	
füttern	pendeln*	Staub saugen	
grillen	pflegen	stimmen	

All the above verbs follow the pattern on page 12.

* takes **sein** in perfect and pluperfect tenses

- **Studieren** and other verbs whose infinitive ends in **-ieren** do not add **ge** on the front of the past participle in the perfect and pluperfect tenses.

studieren - to study		studieren, studiert, studierte, hat ... studiert
Imperativ *Imperative*	*Präsens* *Present*	*Perfekt* *Perfect*
	ich studiere	ich habe ... studiert
studiere!	du studierst	du hast ... studiert
	er/sie/es/man studiert	er/sie/es/man hat ... studiert
studieren wir!	wir studieren	wir haben ... studiert
studiert!	ihr studiert	ihr habt ... studiert
studieren Sie!	Sie studieren	Sie haben ... studiert
	sie studieren	sie haben ... studiert
Imperfekt *Imperfect*	*Futur* *Future*	*Plusquamperfekt* *Pluperfect*
ich studierte	ich werde ... studieren	ich hatte ... studiert
du studiertest	du wirst ... studieren	du hattest ... studiert
er/sie studierte	er/sie wird ... studieren	er/sie hatte ... studiert
es/man studierte	es/man wird ... studieren	es/man hatte ... studiert
wir studierten	wir werden ... studieren	wir hatten ... studiert
ihr studiertet	ihr werdet ... studieren	ihr hattet ... studiert
Sie studierten	Sie werden ... studieren	Sie hatten ... studiert
sie studierten	sie werden ... studieren	sie hatten ... studiert

All **-ieren** verbs are regular.

Very common regular verbs ending in -ieren include:

akzeptieren, sich amüsieren, diskutieren, fotografieren, informieren,
sich interessieren, organisieren, probieren, reparieren, reservieren, studieren,
telefonieren

Common regular verbs ending in -ieren include:

addieren, adoptieren, **an**probieren, arrangieren, buchstabieren, demonstrieren,
existieren, fotokopieren, funktionieren, gratulieren, informatisieren, installieren,
kapieren, kontrollieren, sich konzentrieren, kopieren, korrigieren, modernisieren,
notieren, operieren, passieren*, programmieren, protestieren, sich rasieren,
reagieren, reduzieren, tapezieren, tolerieren, trainieren, zitieren

* takes **sein** in perfect and pluperfect tenses

SECTION 3 - FEATURES OF ALL TYPES OF VERB

- **Besuchen** and verbs whose infinitive begins with **be-, emp-, ent-, er-, ge-, ver-** or **zer-** do not add a **ge-** on the front of the past participle in the perfect and other compound tenses. These **inseparable prefixes** always stay on the front of the verb. **Besuchen** is a regular verb with an inseparable prefix.

besuchen - to visit		besuchen, besucht, besuchte, hat ... besucht
Imperativ *Imperative*	*Präsens* *Present*	*Perfekt* *Perfect*
besuche!	ich besuche du besuchst er/sie/es/man besucht	ich habe ... besucht du hast ... besucht er/sie/es/man hat ... besucht
besuchen wir! besucht! besuchen Sie!	wir besuchen ihr besucht Sie besuchen sie besuchen	wir haben ... besucht ihr habt ... besucht Sie haben ... besucht sie haben ... besucht
Imperfekt *Imperfect*	*Futur* *Future*	*Plusquamperfekt* *Pluperfect*
ich besuchte du besuchtest er/sie besuchte es/man besuchte wir besuchten ihr besuchtet Sie besuchten sie besuchten	ich werde ... besuchen du wirst ... besuchen er/sie wird ... besuchen es/man wird ... besuchen wir werden ... besuchen ihr werdet ... besuchen Sie werden ... besuchen sie werden ... besuchen	ich hatte ... besucht du hattest ... besucht er/sie hatte ... besucht es/man hatte ... besucht wir hatten ... besucht ihr hattet ... besucht Sie hatten ... besucht sie hatten ... besucht

Very common regular verbs with inseparable prefixes include:

bestellen, besuchen, bezahlen, verdienen, verkaufen

Other regular verbs with inseparable prefixes include:

starting with be: sich bedanken, bedauern, bedeuten, (sich) bedienen, bedrohen, sich beeilen, beeindrucken, behandeln, sich beklagen, beleidigen, bemerken, sich beruhigen, berühren, sich beschäftigen, sich beschweren, besichtigen, besorgen, bestätigen, bestrafen, sich bewegen, bewundern

starting with ent: entdecken, entfernen, sich entschuldigen, sich entspannen, entwickeln

starting with er: sich erholen, sich erinnern, erklären, sich erkundigen, erlauben, erreichen, erstaunen, erwähnen, erzählen

starting with ge: gebrauchen, gehorchen, gehören, sich gewöhnen

starting with ver: verändern, verbessern, verdächtigen, vereinigen, verhindern, verkaufen, verlangen, verrenken, versichern, verstauchen, (sich) verstecken, versuchen, verursachen

starting with zer: zerquetschen, zerstören

Other regular verbs with inseparable prefixes follow the verb pattern on the pages indicated:

page 17: begrüßen, benutzen, ergänzen, ersetzen, veranlassen, (sich) verletzen, vermissen, verpassen, verreisen*

page 18: beachten, beantworten, beenden, begegnen*, begleiten, behaupten, beobachten, entwerten, sich erkälten, erwarten, verhaften, verschwenden, sich verspäten

----

Irregular verbs with inseparable prefixes

See the Irregular Verb Tables, pages 22-75. If the verb has a prefix, look up the root verb. For example, for **beschreiben** look up **schreiben**.

These include:

starting with be: bekommen, beschließen, beschreiben

starting with emp, er: empfehlen, erschrecken(*)

starting with ge: gelingen, genießen, geschehen*, gewinnen

starting with ver: verbieten, verbringen, vergessen, vergleichen, verlassen, verlieren, vermeiden, verschwinden*, versprechen, verstehen,

starting with zer: zerreißen

* takes **sein** in perfect and pluperfect tenses

- **Tanzen** and other verbs whose infinitive ends in **-sen, -ßen** or **-zen** have only **-t** in the **du** form of the present tense. **Tanzen** is a regular verb adding only **-t** in the **du** form of the present tense.

tanzen - to dance		tanzen, tanzt, tanzte, hat ... getanzt
Imperativ *Imperative*	*Präsens* *Present*	*Perfekt* *Perfect*
	ich tanze	ich habe ... getanzt
tanze!	du tanz**t**	du hast ... getanzt
	er/sie/es/man tanzt	er/sie/es/man hat ... getanzt
tanzen wir!	wir tanzen	wir haben ... getanzt
tanzt!	ihr tanzt	ihr habt ... getanzt
tanzen Sie!	Sie tanzen	Sie haben ... getanzt
	sie tanzen	sie haben ... getanzt
Imperfekt *Imperfect*	*Futur* *Future*	*Plusquamperfekt* *Pluperfect*
ich tanzte	ich werde ... tanzen	ich hatte ... getanzt
du tanztest	du wirst ... tanzen	du hattest ... getanzt
er/sie/es/man tanzte	er/sie/es/man wird ... tanzen	er/sie/es/man hatte ... getanzt
wir tanzten	wir werden ... tanzen	wir hatten ... getanzt
ihr tanztet	ihr werdet ... tanzen	ihr hattet ... getanzt
Sie tanzten	Sie werden ... tanzen	Sie hatten ... getanzt
sie tanzten	sie werden ... tanzen	sie hatten ... getanzt

Regular verbs adding only -t in the du form of the present tense include:

anfassen, **an**kreuzen, begrüßen, benutzen, blitzen, bremsen, sich duzen, ergänzen, ersetzen, fassen, faulenzen, grinsen, grüßen, hassen, heizen, sich **hin**setzen, küssen, niesen, passen, pflanzen, putzen, reisen*, reizen, schätzen, schützen, schwänzen, setzen, spritzen, tanzen, verletzen, vermissen, verpassen, verreisen*

Irregular verbs adding only -t in the du form of the present tense

It is important to check for vowel changes in the 2nd person singular present tense in the Irregular Verb Tables (pages 22-75).
If the verb has a prefix, look up the root verb. For example, for **verlassen** look up **lassen**. These include:

beißen, begießen, beschließen, essen, heißen, lassen, lesen, messen, reißen, schießen, stoßen, verlassen

* takes **sein** in perfect and pluperfect tenses

- **Warten** and most other verbs ending in **-chnen, -cknen, -den, -dnen, -fnen, -gnen, -ten** and **-tmen** need an extra **e** before a **t** or **st**.

warten - to wait		warten, wartet, wartete, hat … gewartet
Imperativ *Imperative*	*Präsens* *Present*	*Perfekt* *Perfect*
  warte! warten wir! wartet! warten Sie!	ich warte du wartest er/sie/es/man wartet wir warten ihr wartet Sie warten sie warten	ich habe … gewartet du hast … gewartet er/sie/es/man hat … gewartet wir haben … gewartet ihr habt … gewartet Sie haben … gewartet sie haben … gewartet
Imperfekt *Imperfect*	*Futur* *Future*	*Plusquamperfekt* *Pluperfect*
ich wartete du wartetest er/sie/es/man wartete wir warteten ihr wartetet Sie warteten sie warteten	ich werde … warten du wirst … warten er/sie/es/man wird … warten wir werden … warten ihr werdet … warten Sie werden … warten sie werden … warten	ich hatte … gewartet du hattest … gewartet er/sie/es/man hatte … gewartet wir hatten … gewartet ihr hattet … gewartet Sie hatten … gewartet sie hatten … gewartet

Very common regular verbs needing an extra e before a t or st ending include:

antworten, arbeiten, atmen, kosten, öffnen, **vor**bereiten, warten, zelten

Common regular verbs needing an extra e before a t or st ending include:

abtrocknen, achten, sich **an**melden, **an**zünden, **aus**schalten, (sich) baden, beantworten, begegnen*, bluten, bürsten, **ein**schalten, falten, heiraten, husten, landen*, sich leisten, mieten, ordnen, rechnen, reden, regnen, retten, schaden, schalten, starten*, töten, trocknen, sich verabreden, verhaften, verschwenden, sich verspäten, vollenden, sich wenden, wiederverwerten, zeichnen

----

Common irregular verbs needing an extra e before a t or st ending include:

bieten, binden, bitten, finden, leiden, reiten(*), schneiden, streiten, vermeiden, verschwinden*

Check the Irregular Verb Tables (pages 22-75).

* takes **sein** in perfect and pluperfect tenses

- **Separable verbs** can be regular or irregular.

- Common separable prefixes are: **ab-, an-, auf-, aus-, ein-, fern-, fort-, her-, hin-, mit-, nach-, vor-, vorbei-, weg-, weiter-, zu-, zurück-, zusammen-**

  Where separable verbs are listed in this book, they have a **bold** prefix. In this example the prefix **zu** is shown in **bold**. **Zu**hören is a separable verb.

zuhören - to listen to		zuhören, hört **zu**, hörte **zu**, hat ... **zu**gehört
Imperativ *Imperative*	*Präsens* *Present*	*Perfekt* *Perfect*
hör **zu**!	ich höre **zu** du hörst **zu** er/sie/es/man hört **zu**	ich habe ... **zu**gehört du hast ... **zu**gehört er/sie/es/man hat ... **zu**gehört
hören wir **zu**! hört **zu**! hören Sie **zu**!	wir hören **zu** ihr hört **zu** Sie hören **zu** sie hören **zu**	wir haben ... **zu**gehört ihr habt ... **zu**gehört Sie haben ... **zu**gehört sie haben ... **zu**gehört
Imperfekt *Imperfect*	*Futur* *Future*	*Plusquamperfekt* *Pluperfect*
ich hörte **zu** du hörtest **zu** er/sie hörte **zu** es/man hörte **zu** wir hörten **zu** ihr hörtet **zu** Sie hörten **zu** sie hörten **zu**	ich werde ... **zu**hören du wirst ... **zu**hören er/sie wird ... **zu**hören es/man wird ... **zu**hören wir werden ... **zu**hören ihr werdet ... **zu**hören Sie werden ... **zu**hören sie werden ... **zu**hören	ich hatte ... **zu**gehört du hattest ... **zu**gehört er/sie hatte ... **zu**gehört es/man hatte ... **zu**gehört wir hatten ... **zu**gehört ihr hattet ... **zu**gehört Sie hatten ... **zu**gehört sie hatten ... **zu**gehört

Regular separable verbs include:

abhauen*, **ab**holen, **ab**lehnen, **ab**räumen, **an**bauen, **an**fassen, **an**machen, **auf**hören, **auf**machen, **auf**passen, **auf**räumen, **auf**wachen*, **auf**wachsen*, **aus**füllen, **aus**machen, **aus**packen, **ein**kaufen, **ein**packen, **fort**setzen, sich **hin**setzen, **hinzu**fügen, **mit**teilen, **vor**bereiten, sich **vor**stellen, **zu**hören, **zu**machen, **zu**schauen, **zurück**kehren*

Irregular separable verbs

For irregular separable verbs, see the Irregular Verb Tables (pages 22-75). Look up the root verb. For **ab**fahren* look up **fahren***. These include:

abfahren*, **an**fangen, **an**kommen*, **an**rufen, sich **an**ziehen, **auf**stehen*, **aus**geben, **aus**gehen*, **aus**steigen*, sich **aus**ziehen, **ein**laden, **ein**schlafen*, **ein**steigen*, **hinein**gehen*, **mit**nehmen, **statt**finden, **um**steigen*, **um**ziehen*, **vor**haben, **vor**lesen, **vor**schlagen, **vor**stellen, **vor**ziehen

* takes **sein** in perfect and pluperfect tenses

- **Inseparable verbs** can be regular or irregular. The prefix stays with its verb at all times and the past participle is formed without **ge**. Where inseparable verbs are listed in this book, the prefix is **not** in bold type.
  The prefixes **durch-, hinter-, über-, um-, unter-, wider-** and **wieder-** can be either separable or inseparable.

wiederholen - to repeat		wiederholen, wiederholt, wiederholte, hat ... wiederholt
Imperativ *Imperative*	*Präsens* *Present*	*Perfekt* *Perfect*
	ich wiederhole	ich habe ... wiederholt
wiederhole!	du wiederholst	du hast ... wiederholt
	er/sie/es/man wiederholt	er/sie/es/man hat ... wiederholt
wiederholen wir!	wir wiederholen	wir haben ... wiederholt
wiederholt!	ihr wiederholt	ihr habt ... wiederholt
wiederholen Sie!	Sie wiederholen	Sie haben ... wiederholt
	sie wiederholen	sie haben ... wiederholt
Imperfekt *Imperfect*	*Futur* *Future*	*Plusquamperfekt* *Pluperfect*
ich wiederholte	ich werde ... wiederholen	ich hatte ... wiederholt
du wiederholtest	du wirst ... wiederholen	du hattest ... wiederholt
er/sie wiederholte	er/sie wird ... wiederholen	er/sie hatte ... wiederholt
es/man wiederholte	es/man wird ... wiederholen	es/man hatte ... wiederholt
wir wiederholten	wir werden ... wiederholen	wir hatten ... wiederholt
ihr wiederholtet	ihr werdet ... wiederholen	ihr hattet ... wiederholt
Sie wiederholten	Sie werden ... wiederholen	Sie hatten ... wiederholt
sie wiederholten	sie werden ... wiederholen	sie hatten ... wiederholt

Regular verbs which are always inseparable include:

durchsuchen, überqueren, überraschen, überwachen, untersuchen

Regular verbs which are always inseparable and follow the pattern of warten (page 18) include: übernachten, überreden, unterrichten, wiederverwerten.
The verb **übersetzen** can be separable or inseparable depending on meaning:
   übersetzen *to transport across*   übersetzen *to translate*
A regular inseparable verb which follows the pattern of tanzen: unterstützen

----

Irregular verbs which are always inseparable
For irregular inseparable verbs, see the Irregular Verb Tables (pages 22-75). Look up the root verb. For überfahren look up **fahren***.
These include:
   überfahren, übertreiben, umgeben, unterbrechen, sich unterhalten, unterschreiben

* takes **sein** in perfect and pluperfect tenses

- **Reflexive verbs** can be regular or irregular. All reflexive verbs take **haben** in the perfect and pluperfect tenses.

sich duschen - to shower	sich duschen, duscht sich, duschte sich, hat sich ... geduscht	
Imperativ *Imperative*	*Präsens* *Present*	*Perfekt* *Perfect*
dusch dich!	ich dusche mich du duschst dich er/sie/es/man duscht sich	ich habe mich ... geduscht du hast dich ... geduscht er/sie/es/man hat sich ... geduscht
duschen wir uns! duscht euch! duschen Sie sich!	wir duschen uns ihr duscht euch Sie duschen sich sie duschen sich	wir haben uns ... geduscht ihr habt euch ... geduscht Sie haben sich ... geduscht sie haben sich ... geduscht
Imperfekt *Imperfect*	*Futur* *Future*	*Plusquamperfekt* *Pluperfect*
ich duschte mich du duschtest dich er/sie duschte sich es/man duschte sich wir duschten uns ihr duschtet euch Sie duschten sich sie duschten sich	ich werde mich ... duschen du wirst dich ... duschen er/sie wird sich ... duschen es/man wird sich ... duschen wir werden uns ... duschen ihr werdet euch ... duschen Sie werden sich ... duschen sie werden sich ... duschen	ich hatte mich ... geduscht du hattest dich ... geduscht er/sie hatte sich ... geduscht es/man hatte sich ... geduscht wir hatten uns ... geduscht ihr hattet euch ... geduscht Sie hatten sich ... geduscht sie hatten sich ... geduscht

Regular reflexive verbs include:

sich ärgern, sich **aus**ruhen, sich bedanken, sich beeilen, sich duschen, sich duzen, sich entschuldigen, sich erkälten, sich fragen, sich freuen auf, sich freuen über, sich fühlen, sich **hin**legen, sich **hin**setzen, sich interessieren, sich kämmen, sich kümmern, sich langweilen, sich nähern, sich schämen, sich schminken, sich setzen, sich sonnen, sich trennen, sich **um**drehen, sich verabreden, sich verabschieden, sich **vor**stellen (*to introduce oneself*), sich weigern

----

Irregular reflexive verbs
See the root verb, Irregular Verb Tables (pages 22-75). These include:
sich **an**ziehen, sich befinden, sich entschließen, sich stoßen, sich streiten, sich treffen, sich **aus**ziehen, sich verfahren, sich verlaufen, sich verstehen, sich waschen
The reflexive pronoun follows the pattern of **sich duschen**.

Where there is a dative reflexive pronoun in addition to an accusative object, it is only distinctive after **ich** and **du**.
ich wasche **mir** die Hände, du hast **dir** die Hände gewaschen

Verbs with a dative reflexive pronoun include: sich die Zähne putzen, sich **vor**stellen (*to imagine*), sich Sorgen machen

SECTION 4 - IRREGULAR VERB TABLES

backen - to bake   backen, bäckt, backte, hat ... gebacken

Imperativ *Imperative*	*Präsens* *Present*	*Perfekt* *Perfect*
	ich backe	ich habe ... gebacken
back!	du bäckst	du hast ... gebacken
	er/sie/es/man bäckt	er/sie/es/man hat ... gebacken
backen wir!	wir backen	wir haben ... gebacken
backt!	ihr backt	ihr habt ... gebacken
backen Sie!	Sie backen	Sie haben ... gebacken
	sie backen	sie haben ... gebacken
Imperfekt *Imperfect*	*Futur* *Future*	*Plusquamperfekt* *Pluperfect*
ich backte	ich werde ... backen	ich hatte ... gebacken
du backtest	du wirst ... backen	du hattest ... gebacken
er/sie/es/man backte	er/sie/es/man wird ... backen	er/sie/es/man hatte ... gebacken
wir backten	wir werden ... backen	wir hatten ... gebacken
ihr backtet	ihr werdet ... backen	ihr hattet ... gebacken
Sie backten	Sie werden ... backen	Sie hatten ... gebacken
sie backten	sie werden ... backen	sie hatten ... gebacken

befehlen - to command, to order   befehlen, befiehlt, befahl, hat ... befohlen

Imperativ *Imperative*	*Präsens* *Present*	*Perfekt* *Perfect*
	ich befehle	ich habe ... befohlen
befiehl!	du befiehlst	du hast ... befohlen
	er/sie/es/man befiehlt	er/sie/es/man hat ... befohlen
befehlen wir!	wir befehlen	wir haben ... befohlen
befehlt!	ihr befehlt	ihr habt ... befohlen
befehlen Sie!	Sie befehlen	Sie haben ... befohlen
	sie befehlen	sie haben ... befohlen
Imperfekt *Imperfect*	*Futur* *Future*	*Plusquamperfekt* *Pluperfect*
ich befahl	ich werde ... befehlen	ich hatte ... befohlen
du befahlst	du wirst ... befehlen	du hattest ... befohlen
er/sie/es/man befahl	er/sie/es/man wird ... befehlen	er/sie/es/man hatte ... befohlen
wir befahlen	wir werden ... befehlen	wir hatten ... befohlen
ihr befahlt	ihr werdet ... befehlen	ihr hattet ... befohlen
Sie befahlen	Sie werden ... befehlen	Sie hatten ... befohlen
sie befahlen	sie werden ... befehlen	sie hatten ... befohlen

Also (with no ge- in the past participle): empfehlen

beginnen - to begin		beginnen, beginnt, begann, hat ... begonnen
Imperativ *Imperative*	*Präsens* *Present*	*Perfekt* *Perfect*
beginn!	ich beginne du beginnst er/sie/es/man beginnt	ich habe ... begonnen du hast ... begonnen er/sie/es/man hat ... begonnen
beginnen wir! beginnt! beginnen Sie!	wir beginnen ihr beginnt Sie beginnen sie beginnen	wir haben ... begonnen ihr habt ... begonnen Sie haben ... begonnen sie haben ... begonnen
Imperfekt *Imperfect*	*Futur* *Future*	*Plusquamperfekt* *Pluperfect*
ich begann du begannst er/sie/es/man begann wir begannen ihr begannt Sie begannen sie begannen	ich werde ... beginnen du wirst ... beginnen er/sie/es/man wird ... beginnen wir werden ... beginnen ihr werdet ... beginnen Sie werden ... beginnen sie werden ... beginnen	ich hatte ... begonnen du hattest ... begonnen er/sie/es/man hatte ... begonnen wir hatten ... begonnen ihr hattet ... begonnen Sie hatten ... begonnen sie hatten ... begonnen

beißen - to bite		beißen, beißt, biss, hat ... gebissen
Imperativ *Imperative*	*Präsens* *Present*	*Perfekt* *Perfect*
beiß!	ich beiße du beißt er/sie/es/man beißt	ich habe ... gebissen du hast ... gebissen er/sie/es/man hat ... gebissen
beißen wir! beißt! beißen Sie!	wir beißen ihr beißt Sie beißen sie beißen	wir haben ... gebissen ihr habt ... gebissen Sie haben ... gebissen sie haben ... gebissen
Imperfekt *Imperfect*	*Futur* *Future*	*Plusquamperfekt* *Pluperfect*
ich biss du bissest er/sie/es/man biss wir bissen ihr bisst Sie bissen sie bissen	ich werde ... beißen du wirst ... beißen er/sie/es/man wird ... beißen wir werden ... beißen ihr werdet ... beißen Sie werden ... beißen sie werden ... beißen	ich hatte ... gebissen du hattest ... gebissen er/sie/es/man hatte ... gebissen wir hatten ... gebissen ihr hattet ... gebissen Sie hatten ... gebissen sie hatten ... gebissen

biegen - to bend		biegen, biegt, bog, hat … gebogen
Imperativ / *Imperative*	*Präsens* / *Present*	*Perfekt* / *Perfect*
	ich biege	ich habe … gebogen
bieg!	du biegst	du hast … gebogen
	er/sie/es/man biegt	er/sie/es/man hat … gebogen
biegen wir!	wir biegen	wir haben … gebogen
biegt!	ihr biegt	ihr habt … gebogen
biegen Sie!	Sie biegen	Sie haben … gebogen
	sie biegen	sie haben … gebogen
Imperfekt / *Imperfect*	*Futur* / *Future*	*Plusquamperfekt* / *Pluperfect*
ich bog	ich werde … biegen	ich hatte … gebogen
du bogst	du wirst … biegen	du hattest … gebogen
er/sie/es/man bog	er/sie/es/man wird … biegen	er/sie/es/man hatte … gebogen
wir bogen	wir werden … biegen	wir hatten … gebogen
ihr bogt	ihr werdet … biegen	ihr hattet … gebogen
Sie bogen	Sie werden … biegen	Sie hatten … gebogen
sie bogen	sie werden … biegen	sie hatten … gebogen

Also (with sein in perfect and pluperfect): abbiegen*, **ein**biegen*

bieten - to offer		bieten, bietet, bot, hat … geboten
Imperativ / *Imperative*	*Präsens* / *Present*	*Perfekt* / *Perfect*
	ich biete	ich habe … geboten
biete!	du bietest	du hast … geboten
	er/sie/es/man bietet	er/sie/es/man hat … geboten
bieten wir!	wir bieten	wir haben … geboten
bietet!	ihr bietet	ihr habt … geboten
bieten Sie!	Sie bieten	Sie haben … geboten
	sie bieten	sie haben … geboten
Imperfekt / *Imperfect*	*Futur* / *Future*	*Plusquamperfekt* / *Pluperfect*
ich bot	ich werde … bieten	ich hatte … geboten
du botst	du wirst … bieten	du hattest … geboten
er/sie/es/man bot	er/sie/es/man wird … bieten	er/sie/es/man hatte … geboten
wir boten	wir werden … bieten	wir hatten … geboten
ihr botet	ihr werdet … bieten	ihr hattet … geboten
Sie boten	Sie werden … bieten	Sie hatten … geboten
sie boten	sie werden … bieten	sie hatten … geboten

Also: anbieten

Also (with no ge- in the past participle): verbieten

binden - to bind, to tie   binden, bindet, band, hat ... gebunden

Imperativ *Imperative*	*Präsens* *Present*	*Perfekt* *Perfect*
	ich binde	ich habe ... gebunden
binde!	du bindest	du hast ... gebunden
	er/sie/es/man bindet	er/sie/es/man hat ... gebunden
binden wir!	wir binden	wir haben ... gebunden
bindet!	ihr bindet	ihr habt ... gebunden
binden Sie!	Sie binden	Sie haben ... gebunden
	sie binden	sie haben ... gebunden
Imperfekt *Imperfect*	*Futur* *Future*	*Plusquamperfekt* *Pluperfect*
ich band	ich werde ... binden	ich hatte ... gebunden
du bandest	du wirst ... binden	du hattest ... gebunden
er/sie/es/man band	er/sie/es/man wird ... binden	er/sie/es/man hatte ... gebunden
wir banden	wir werden ... binden	wir hatten ... gebunden
ihr bandet	ihr werdet ... binden	ihr hattet ... gebunden
Sie banden	Sie werden ... binden	Sie hatten ... gebunden
sie banden	sie werden ... binden	sie hatten ... gebunden

Also: aufbinden   **Also (with no ge- in the past participle):** verbinden

bitten - to ask, to request   bitten, bittet, bat, hat ... gebeten

Imperativ *Imperative*	*Präsens* *Present*	*Perfekt* *Perfect*
	ich bitte	ich habe ... gebeten
bitte!	du bittest	du hast ... gebeten
	er/sie/es/man bittet	er/sie/es/man hat ... gebeten
bitten wir!	wir bitten	wir haben ... gebeten
bittet!	ihr bittet	ihr habt ... gebeten
bitten Sie!	Sie bitten	Sie haben ... gebeten
	sie bitten	sie haben ... gebeten
Imperfekt *Imperfect*	*Futur* *Future*	*Plusquamperfekt* *Pluperfect*
ich bat	ich werde ... bitten	ich hatte ... gebeten
du batest	du wirst ... bitten	du hattest ... gebeten
er/sie/es/man bat	er/sie/es/man wird ... bitten	er/sie/es/man hatte ... gebeten
wir baten	wir werden ... bitten	wir hatten ... gebeten
ihr batet	ihr werdet ... bitten	ihr hattet ... gebeten
Sie baten	Sie werden ... bitten	Sie hatten ... gebeten
sie baten	sie werden ... bitten	sie hatten ... gebeten

bleiben* - to stay   bleiben, bleibt, blieb, ist ... geblieben

Imperativ *Imperative*	*Präsens* *Present*	*Perfekt* *Perfect*
	ich bleibe	ich bin ... geblieben
bleib!	du bleibst	du bist ... geblieben
	er/sie/es/man bleibt	er/sie/es/man ist ... geblieben
blieben wir!	wir bleiben	wir sind ... geblieben
bleibt!	ihr bleibt	ihr seid ... geblieben
bleiben Sie!	Sie bleiben	Sie sind ... geblieben
	sie bleiben	sie sind ... geblieben
Imperfekt *Imperfect*	*Futur* *Future*	*Plusquamperfekt* *Pluperfect*
ich blieb	ich werde ... bleiben	ich war ... geblieben
du bliebst	du wirst ... bleiben	du warst ... geblieben
er/sie/es/man blieb	er/sie/es/man wird ... bleiben	er/sie/es/man war ... geblieben
wir blieben	wir werden ... bleiben	wir waren ... geblieben
ihr bliebt	ihr werdet ... bleiben	ihr wart ... geblieben
Sie blieben	Sie werden ... bleiben	Sie waren ... geblieben
sie blieben	sie werden ... bleiben	sie waren ... geblieben

Also: sitzen bleiben*, stehen bleiben*

braten - to fry, to roast   braten, brät, briet, hat ... gebraten

Imperativ *Imperative*	*Präsens* *Present*	*Perfekt* *Perfect*
	ich brate	ich habe ... gebraten
brate!	du brätst	du hast ... gebraten
	er/sie/es/man brät	er/sie/es/man hat ... gebraten
braten wir!	wir braten	wir haben ... gebraten
bratet!	ihr bratet	ihr habt ... gebraten
braten Sie!	Sie braten	Sie haben ... gebraten
	sie braten	sie haben ... gebraten
Imperfekt *Imperfect*	*Futur* *Future*	*Plusquamperfekt* *Pluperfect*
ich briet	ich werde ... braten	ich hatte ... gebraten
du brietst	du wirst ... braten	du hattest ... gebraten
er/sie/es/man briet	er/sie/es/man wird ... braten	er/sie/es/man hatte ... gebraten
wir brieten	wir werden ... braten	wir hatten ... gebraten
ihr brietet	ihr werdet ... braten	ihr hattet ... gebraten
Sie brieten	Sie werden ... braten	Sie hatten ... gebraten
sie brieten	sie werden ... braten	sie hatten ... gebraten

brechen - to break   brechen, bricht, brach, hat … gebrochen

Imperativ *Imperative*	*Präsens* *Present*	*Perfekt* *Perfect*
	ich breche	ich habe … gebrochen
brich!	du brichst	du hast … gebrochen
	er/sie/es/man bricht	er/sie/es/man hat … gebrochen
brechen wir!	wir brechen	wir haben … gebrochen
brecht!	ihr brecht	ihr habt … gebrochen
brechen Sie!	Sie brechen	Sie haben … gebrochen
	sie brechen	sie haben … gebrochen
Imperfekt *Imperfect*	*Futur* *Future*	*Plusquamperfekt* *Pluperfect*
ich brach	ich werde … brechen	ich hatte … gebrochen
du brachst	du wirst … brechen	du hattest … gebrochen
er/sie/es/man brach	er/sie/es/man wird … brechen	er/sie/es/man hatte … gebrochen
wir brachen	wir werden … brechen	wir hatten … gebrochen
ihr bracht	ihr werdet … brechen	ihr hattet … gebrochen
Sie brachen	Sie werden … brechen	Sie hatten … gebrochen
sie brachen	sie werden … brechen	sie hatten … gebrochen

Also: abbrechen   **Also (with no ge- in the past participle):** zerbrechen
Also (may have sein or haben in perfect and pluperfect): aufbrechen(*)

brennen - to burn   brennen, brennt, brannte, hat … gebrannt

Imperativ *Imperative*	*Präsens* *Present*	*Perfekt* *Perfect*
	ich brenne	ich habe … gebrannt
brenne!	du brennst	du hast … gebrannt
	er/sie/es/man brennt	er/sie/es/man hat … gebrannt
brennen wir!	wir brennen	wir haben … gebrannt
brennt!	ihr brennt	ihr habt … gebrannt
brennen Sie!	Sie brennen	Sie haben … gebrannt
	sie brennen	sie haben … gebrannt
Imperfekt *Imperfect*	*Futur* *Future*	*Plusquamperfekt* *Pluperfect*
ich brannte	ich werde … brennen	ich hatte … gebrannt
du branntest	du wirst … brennen	du hattest … gebrannt
er/sie brannte	er/sie wird … brennen	er/sie hatte … gebrannt
es/man brannte	es/man wird … brennen	es/man hatte … gebrannt
wir brannten	wir werden … brennen	wir hatten … gebrannt
ihr branntet	ihr werdet … brennen	ihr hattet … gebrannt
Sie brannten	Sie werden … brennen	Sie hatten … gebrannt
sie brannten	sie werden … brennen	sie hatten … gebrannt

Also: anbrennen   **Also (with no ge- in the past participle):** verbrennen
Also (may have sein or haben in perfect and pluperfect): abbrennen(*)

bringen - to bring   bringen, bringt, brachte, hat ... gebracht

Imperativ Imperative	Präsens Present	Perfekt Perfect
	ich bringe	ich habe ... gebracht
bring!	du bringst	du hast ... gebracht
	er/sie/es/man bringt	er/sie/es/man hat ... gebracht
bringen wir!	wir bringen	wir haben ... gebracht
bringt!	ihr bringt	ihr habt ... gebracht
bringen Sie!	Sie bringen	Sie haben ... gebracht
	sie bringen	sie haben ... gebracht
Imperfekt **Imperfect**	**Futur** **Future**	**Plusquamperfekt** **Pluperfect**
ich brachte	ich werde ... bringen	ich hatte ... gebracht
du brachtest	du wirst ... bringen	du hattest ... gebracht
er/sie/es/man brachte	er/sie/es/man wird ... bringen	er/sie/es/man hatte ... gebracht
wir brachten	wir werden ... bringen	wir hatten ... gebracht
ihr brachtet	ihr werdet ... bringen	ihr hattet ... gebracht
Sie brachten	Sie werden ... bringen	Sie hatten ... gebracht
sie brachten	sie werden ... bringen	sie hatten ... gebracht

Also: umbringen   **Also (with no ge- in the past participle):** verbringen

denken - to think   denken, denkt, dachte, hat ... gedacht

Imperativ Imperative	Präsens Present	Perfekt Perfect
	ich denke	ich habe ... gedacht
denk!	du denkst	du hast ... gedacht
	er/sie/es/man denkt	er/sie/es/man hat ... gedacht
denken wir!	wir denken	wir haben ... gedacht
denkt!	ihr denkt	ihr habt ... gedacht
denken Sie!	Sie denken	Sie haben ... gedacht
	sie denken	sie haben ... gedacht
Imperfekt **Imperfect**	**Futur** **Future**	**Plusquamperfekt** **Pluperfect**
ich dachte	ich werde ... denken	ich hatte ... gedacht
du dachtest	du wirst ... denken	du hattest ... gedacht
er/sie/es/man dachte	er/sie/es/man wird ... denken	er/sie/es/man hatte ... gedacht
wir dachten	wir werden ... denken	wir hatten ... gedacht
ihr dachtet	ihr werdet ... denken	ihr hattet ... gedacht
Sie dachten	Sie werden ... denken	Sie hatten ... gedacht
sie dachten	sie werden ... denken	sie hatten ... gedacht

dürfen - to be allowed to	**modal verb**	dürfen, darf, durfte, hat … gedurft #
Imperativ *Imperative - none*	*Präsens* *Present*	*Perfekt #* *Perfect*
	ich darf	ich habe … gedurft
Conditional	du darfst	du hast … gedurft
ich dürfte	er/sie/es/man darf	er/sie/es/man hat … gedurft
	wir dürfen	wir haben … gedurft
Alternative Perfect	ihr dürft	ihr habt … gedurft
ich habe es machen	Sie dürfen	Sie haben … gedurft
dürfen	sie dürfen	sie haben … gedurft
Imperfekt *Imperfect*	*Futur* *Future*	*Plusquamperfekt #* *Pluperfect*
ich durfte	ich werde … dürfen	ich hatte … gedurft
du durftest	du wirst … dürfen	du hattest … gedurft
er/sie/es/man durfte	er/sie/es/man wird … dürfen	er/sie/es/man hatte … gedurft
wir durften	wir werden … dürfen	wir hatten … gedurft
ihr durfet	ihr werdet … dürfen	ihr hattet … gedurft
Sie durften	Sie werden … dürfen	Sie hatten … gedurft
sie durften	sie werden … dürfen	sie hatten … gedurft

\# It is advisable to use the **imperfect** of **dürfen** in preference to the perfect. See page 8.
  Note there is **no** Umlaut in the imperfect.

erschrecken* - to be terrified		erschrecken, erschrickt, erschrak, ist … erschrocken
Imperativ *Imperative*	*Präsens* *Present*	*Perfekt* *Perfect*
	ich erschrecke	ich bin … erschrocken
erschrick!	du erschrickst	du bist … erschrocken
	er/sie/es/man erschrickt	er/sie/es/man ist … erschrocken
erschrecken wir!	wir erschrecken	wir sind … erschrocken
erschreckt!	ihr erschreckt	ihr seid … erschrocken
erschrecken Sie!	Sie erschrecken	Sie sind … erschrocken
	sie erschrecken	sie sind … erschrocken
Imperfekt *Imperfect*	*Futur* *Future*	*Plusquamperfekt* *Pluperfect*
ich erschrak	ich werde … erschrecken	ich war … erschrocken
du erschrakst	du wirst … erschrecken	du warst … erschrocken
er/sie erschrak	er/sie wird … erschrecken	er/sie war … erschrocken
es/man erschrak	es/man wird … erschrecken	es/man war … erschrocken
wir crschraken	wir werden … erschrecken	wir waren … erschrocken
ihr erschrakt	ihr werdet … erschrecken	ihr wart … erschrocken
Sie erschraken	Sie werden … erschrecken	Sie waren … erschrocken
sie erschraken	sie werden … erschrecken	sie waren … erschrocken

Also (with haben in perfect and pluperfect): erschrecken

essen - to eat		essen, isst, aß, hat ... gegessen
Imperativ *Imperative*	*Präsens* *Present*	*Perfekt* *Perfect*
iss! essen wir! esst! essen Sie!	ich esse du isst er/sie/es/man isst wir essen ihr esst Sie essen sie essen	ich habe ... gegessen du hast ... gegessen er/sie/es/man hat ... gegessen wir haben ... gegessen ihr habt ... gegessen Sie haben ... gegessen sie haben ... gegessen
Imperfekt *Imperfect*	*Futur* *Future*	*Plusquamperfekt* *Pluperfect*
ich aß du aßest er/sie/es/man aß wir aßen ihr aßt Sie aßen sie aßen	ich werde ... essen du wirst ... essen er/sie/es/man wird ... essen wir werden ... essen ihr werdet ... essen Sie werden ... essen sie werden ... essen	ich hatte ... gegessen du hattest ... gegessen er/sie/es/man hatte ... gegessen wir hatten ... gegessen ihr hattet ... gegessen Sie hatten ... gegessen sie hatten ... gegessen

Also: aufessen, **mit**essen   **Also (past participle vergessen):** vergessen

Like essen, but past participle is gefressen: fressen

fahren* - to travel		fahren, fährt, fuhr, ist ... gefahren
Imperativ *Imperative*	*Präsens* *Present*	*Perfekt* *Perfect*
fahr! fahren wir! fahrt! fahren Sie!	ich fahre du fährst er/sie/es/man fährt wir fahren ihr fahrt Sie fahren sie fahren	ich bin ... gefahren du bist ... gefahren er/sie/es/man ist ... gefahren wir sind ... gefahren ihr seid ... gefahren Sie sind ... gefahren sie sind ... gefahren
Imperfekt *Imperfect*	*Futur* *Future*	*Plusquamperfekt* *Pluperfect*
ich fuhr du fuhrst er/sie/es/man fuhr wir fuhren ihr fuhrt Sie fuhren sie fuhren	ich werde ... fahren du wirst ... fahren er/sie/es/man wird ... fahren wir werden ... fahren ihr werdet ... fahren Sie werden ... fahren sie werden ... fahren	ich war ... gefahren du warst ... gefahren er/sie/es/man war ... gefahren wir waren ... gefahren ihr wart ... gefahren Sie waren ... gefahren sie waren ... gefahren

Also: abfahren*, **an**fahren*, **mit**fahren*, Rad fahren*, Ski fahren*, **weg**fahren*

Also (with haben in perfect and pluperfect): fahren

Also (with haben, no ge- in past participle): überfahren, sich verfahren

30

fallen* - to fall		fallen, fällt, fiel, ist ... gefallen
Imperativ / *Imperative*	**Präsens** / *Present*	**Perfekt** / *Perfect*
fall!	ich falle	ich bin ... gefallen
	du fällst	du bist ... gefallen
	er/sie/es/man fällt	er/sie/es/man ist ... gefallen
fallen wir!	wir fallen	wir sind ... gefallen
fallt!	ihr fallt	ihr seid ... gefallen
fallen Sie!	Sie fallen	Sie sind ... gefallen
	sie fallen	sie sind ... gefallen
Imperfekt / *Imperfect*	**Futur** / *Future*	**Plusquamperfekt** / *Pluperfect*
ich fiel	ich werde ... fallen	ich war ... gefallen
du fielst	du wirst ... fallen	du warst ... gefallen
er/sie/es/man fiel	er/sie/es/man wird ... fallen	er/sie/es/man war ... gefallen
wir fielen	wir werden ... fallen	wir waren ... gefallen
ihr fielt	ihr werdet ... fallen	ihr wart ... gefallen
Sie fielen	Sie werden ... fallen	Sie waren ... gefallen
sie fielen	sie werden ... fallen	sie waren ... gefallen

Also: auffallen*, **hin**fallen*   **Also (with no ge- in past participle):** verfallen*

Also (+ haben in perfect and pluperfect, no ge- in past participle): gefallen, überfallen

fangen - to catch		fangen, fängt, fing, hat ... gefangen
Imperativ / *Imperative*	**Präsens** / *Present*	**Perfekt** / *Perfect*
fang!	ich fange	ich habe ... gefangen
	du fängst	du hast ... gefangen
	er/sie/es/man fängt	er/sie/es/man hat ... gefangen
fangen wir!	wir fangen	wir haben ... gefangen
fangt!	ihr fangt	ihr habt ... gefangen
fangen Sie!	Sie fangen	Sie haben ... gefangen
	sie fangen	sie haben ... gefangen
Imperfekt / *Imperfect*	**Futur** / *Future*	**Plusquamperfekt** / *Pluperfect*
ich fing	ich werde ... fangen	ich hatte ... gefangen
du fingst	du wirst ... fangen	du hattest ... gefangen
er/sie/es/man fing	er/sie/es/man wird ... fangen	er/sie/es/man hatte ... gefangen
wir fingen	wir werden ... fangen	wir hatten ... gefangen
ihr fingt	ihr werdet ... fangen	ihr hattet ... gefangen
Sie fingen	Sie werden ... fangen	Sie hatten ... gefangen
sie fingen	sie werden ... fangen	sie hatten ... gefangen

Also: anfangen, **auf**fangen

finden - to find		finden, findet, fand, hat ... gefunden
Imperativ / *Imperative*	*Präsens* / *Present*	*Perfekt* / *Perfect*
	ich finde	ich habe ... gefunden
finde!	du findest	du hast ... gefunden
	er/sie/es/man findet	er/sie/es/man hat ... gefunden
finden wir!	wir finden	wir haben ... gefunden
findet!	ihr findet	ihr habt ... gefunden
finden Sie!	Sie finden	Sie haben ... gefunden
	sie finden	sie haben ... gefunden
Imperfekt / *Imperfect*	*Futur* / *Future*	*Plusquamperfekt* / *Pluperfect*
ich fand	ich werde ... finden	ich hatte ... gefunden
du fandest	du wirst ... finden	du hattest ... gefunden
er/sie/es/man fand	er/sie/es/man wird ... finden	er/sie/es/man hatte ... gefunden
wir fanden	wir werden ... finden	wir hatten ... gefunden
ihr fandet	ihr werdet ... finden	ihr hattet ... gefunden
Sie fanden	Sie werden ... finden	Sie hatten ... gefunden
sie fanden	sie werden ... finden	sie hatten ... gefunden

Also (with no ge- in past participle): sich befinden, empfinden, erfinden

fliegen* - to fly		fliegen, fliegt, flog, ist ... geflogen
Imperativ / *Imperative*	*Präsens* / *Present*	*Perfekt* / *Perfect*
	ich fliege	ich bin ... geflogen
fliege!	du fliegst	du bist ... geflogen
	er/sie/es/man fliegt	er/sie/es/man ist ... geflogen
fliegen wir!	wir fliegen	wir sind ... geflogen
fliegt!	ihr fliegt	ihr seid ... geflogen
fliegen Sie!	Sie fliegen	Sie sind ... geflogen
	sie fliegen	sie sind ... geflogen
Imperfekt / *Imperfect*	*Futur* / *Future*	*Plusquamperfekt* / *Pluperfect*
ich flog	ich werde ... fliegen	ich war ... geflogen
du flogst	du wirst ... fliegen	du warst ... geflogen
er/sie/es/man flog	er/sie/es/man wird ... fliegen	er/sie/es/man war ... geflogen
wir flogen	wir werden ... fliegen	wir waren ... geflogen
ihr flogt	ihr werdet ... fliegen	ihr wart ... geflogen
Sie flogen	Sie werden ... fliegen	Sie waren ... geflogen
sie flogen	sie werden ... fliegen	sie waren ... geflogen

Also: abfliegen*, wegfliegen*   **Also (with haben in perfect and pluperfect):** fliegen

frieren - to freeze   frieren, friert, fror, hat ... gefroren

Imperativ *Imperative*	*Präsens* *Present*	*Perfekt* *Perfect*
	ich friere	ich habe ... gefroren
friere!	du frierst	du hast ... gefroren
	er/sie/es/man friert	er/sie/es/man hat ... gefroren
frieren wir!	wir frieren	wir haben ... gefroren
friert!	ihr friert	ihr habt ... gefroren
frieren Sie!	Sie frieren	Sie haben ... gefroren
	sie frieren	sie haben ... gefroren
Imperfekt *Imperfect*	*Futur* *Future*	*Plusquamperfekt* *Pluperfect*
ich fror	ich werde ... frieren	ich hatte ... gefroren
du frorst	du wirst ... frieren	du hattest ... gefroren
er/sie/es/man fror	er/sie/es/man wird ... frieren	er/sie/es/man hatte ... gefroren
wir froren	wir werden ... frieren	wir hatten ... gefroren
ihr frort	ihr werdet ... frieren	ihr hattet ... gefroren
Sie froren	Sie werden ... frieren	Sie hatten ... gefroren
sie froren	sie werden ... frieren	sie hatten ... gefroren

Also (with sein in perfect and pluperfect, no ge- in past participle): erfrieren*

geben - to give   geben, gibt, gab, hat ... gegeben

Imperativ *Imperative*	*Präsens* *Present*	*Perfekt* *Perfect*
	ich gebe	ich habe ... gegeben
gib!	du gibst	du hast ... gegeben
	er/sie/es/man gibt	er/sie/es/man hat ... gegeben
geben wir!	wir geben	wir haben ... gegeben
gebt!	ihr gebt	ihr habt ... gegeben
geben Sie!	Sie geben	Sie haben ... gegeben
	sie geben	sie haben ... gegeben
Imperfekt *Imperfect*	*Futur* *Future*	*Plusquamperfekt* *Pluperfect*
ich gab	ich werde ... geben	ich hatte ... gegeben
du gabst	du wirst ... geben	du hattest ... gegeben
er/sie/es/man gab	er/sie/es/man wird ... geben	er/sie/es/man hatte ... gegeben
wir gaben	wir werden ... geben	wir hatten ... gegeben
ihr gabt	ihr werdet ... geben	ihr hattet ... gegeben
Sie gaben	Sie werden ... geben	Sie hatten ... gegeben
sie gaben	sie werden ... geben	sie hatten ... gegeben

Also: **ab**geben, **an**geben, **auf**geben, **aus**geben, sich übergeben, umgeben, **zu**geben

gehen*- to go		gehen, geht, ging, ist ... gegangen
Imperativ *Imperative*	*Präsens* *Present*	*Perfekt* *Perfect*
geh!	ich gehe du gehst er/sie/es/man geht	ich bin ... gegangen du bist ... gegangen er/sie/es/man ist ... gegangen
gehen wir! geht! gehen Sie!	wir gehen ihr geht Sie gehen sie gehen	wir sind ... gegangen ihr seid ... gegangen Sie sind ... gegangen sie sind ... gegangen
Imperfekt *Imperfect*	*Futur* *Future*	*Plusquamperfekt* *Pluperfect*
ich ging du gingst er/sie/es/man ging wir gingen ihr gingt Sie gingen sie gingen	ich werde ... gehen du wirst ... gehen er/sie/es/man wird ... gehen wir werden ... gehen ihr werdet ... gehen Sie werden ... gehen sie werden ... gehen	ich war ... gegangen du warst ... gegangen er/sie/es/man war ... gegangen wir waren ... gegangen ihr wart ... gegangen Sie waren ... gegangen sie waren ... gegangen

Also: abgehen*, **auf**gehen*, **hinauf**gehen*, **hinein**gehen*, **hinunter**gehen*, **mit**gehen*, **aus**gehen*, spazieren gehen*, **weg**gehen*   **Also (haben in perfect/pluperfect):** begehen

gelingen* - to succeed		gelingen, gelingt, gelang, ist ... gelungen
Imperativ *Imperative - none*	*Präsens* *Present*	*Perfekt* *Perfect*
	es gelingt	es ist ... gelungen
Imperfekt *Imperfect*	*Futur* *Future*	*Plusquamperfekt* *Pluperfect*
es gelang	es wird gelingen	es war ... gelungen

Gelingen only has a third person singular form. It is sometimes called a defective verb.

genießen - to enjoy		genießen, genießt, genoss, hat ... genossen
Imperativ *Imperative*	*Präsens* *Present*	*Perfekt* *Perfect*
genieße!	ich genieße du genießt er/sie/es/man genießt	ich habe ... genossen du hast ... genossen er/sie/es/man hat ... genossen
genießen wir! genießt! genießen Sie!	wir genießen ihr genießt Sie genießen sie genießen	wir haben ... genossen ihr habt ... genossen Sie haben ... genossen sie haben ... genossen
Imperfekt *Imperfect*	*Futur* *Future*	*Plusquamperfekt* *Pluperfect*
ich genoss du genossest er/sie/es/man genoss wir genossen ihr genosst Sie genossen sie genossen	ich werde ... genießen du wirst ... genießen er/sie/es/man wird ... genießen wir werden ... genießen ihr werdet ... genießen Sie werden ... genießen sie werden ... genießen	ich hatte ... genossen du hattest ... genossen er/sie/es/man hatte ... genossen wir hatten ... genossen ihr hattet ... genossen Sie hatten ... genossen sie hatten ... genossen

geschehen* - to happen		geschehen, geschieht, geschah, ist ... geschehen
Imperativ *Imperative - none*	*Präsens* *Present*	*Perfekt* *Perfect*
	es geschieht	es ist ... geschehen
Imperfekt *Imperfect*	*Futur* *Future*	*Plusquamperfekt* *Pluperfect*
es geschah	es wird ... geschehen	es war ... geschehen

Geschehen only has an **es** form. It is sometimes called a defective verb.

gewinnen - to win		gewinnen, gewinnt, gewann, hat … gewonnen
Imperativ *Imperative*	*Präsens* *Present*	*Perfekt* *Perfect*
	ich gewinne	ich habe … gewonnen
gewinne!	du gewinnst	du hast … gewonnen
	er/sie/es/man gewinnt	er/sie/es/man hat … gewonnen
gewinnen wir!	wir gewinnen	wir haben … gewonnen
gewinnt!	ihr gewinnt	ihr habt … gewonnen
gewinnen Sie!	Sie gewinnen	Sie haben … gewonnen
	sie gewinnen	sie haben … gewonnen
Imperfekt *Imperfect*	*Futur* *Future*	*Plusquamperfekt* *Pluperfect*
ich gewann	ich werde … gewinnen	ich hatte … gewonnen
du gewannst	du wirst … gewinnen	du hattest … gewonnen
er/sie gewann	er/sie wird … gewinnen	er/sie hatte … gewonnen
es/man gewann	es/man wird … gewinnen	es/man hatte … gewonnen
wir gewannen	wir werden … gewinnen	wir hatten … gewonnen
ihr gewannt	ihr werdet … gewinnen	ihr hattet … gewonnen
Sie gewannen	Sie werden … gewinnen	Sie hatten … gewonnen
sie gewannen	sie werden … gewinnen	sie hatten … gewonnen

gießen - to pour		gießen, gießt, goss, hat … gegossen
Imperativ *Imperative*	*Präsens* *Present*	*Perfekt* *Perfect*
	ich gieße	ich habe … gegossen
gieße!	du gießt	du hast … gegossen
	er/sie/es/man gießt	er/sie/es/man hat … gegossen
gießen wir!	wir gießen	wir haben … gegossen
gießt!	ihr gießt	ihr habt … gegossen
gießen Sie!	Sie gießen	Sie haben … gegossen
	sie gießen	sie haben … gegossen
Imperfekt *Imperfect*	*Futur* *Future*	*Plusquamperfekt* *Pluperfect*
ich goss	ich werde … gießen	ich hatte … gegossen
du gossest	du wirst … gießen	du hattest … gegossen
er/sie/es/man goss	er/sie/es/man wird … gießen	er/sie/es/man hatte … gegossen
wir gossen	wir werden … gießen	wir hatten … gegossen
ihr gosst	ihr werdet … gießen	ihr hattet … gegossen
Sie gossen	Sie werden … gießen	Sie hatten … gegossen
sie gossen	sie werden … gießen	sie hatten … gegossen

Also (with no ge- in past participle): begießen

gleichen - to be similar to		gleichen, gleicht, glich, hat ... geglichen
Imperativ *Imperative*	*Präsens* *Present*	*Perfekt* *Perfect*
gleiche!	ich gleiche du gleichst er/sie/es/man gleicht	ich habe ... geglichen du hast ... geglichen er/sie/es/man hat ... geglichen
gleichen wir! gleicht! gleichen Sie!	wir gleichen ihr gleicht Sie gleichen sie gleichen	wir haben ... geglichen ihr habt ... geglichen Sie haben ... geglichen sie haben ... geglichen
Imperfekt *Imperfect*	*Futur* *Future*	*Plusquamperfekt* *Pluperfect*
ich glich du glichst er/sie/es/man glich wir glichen ihr glicht Sie glichen sie glichen	ich werde ... gleichen du wirst ... gleichen er/sie/es/man wird ... gleichen wir werden ... gleichen ihr werdet ... gleichen Sie werden ... gleichen sie werden ... gleichen	ich hatte ... geglichen du hattest ... geglichen er/sie/es/man hatte ... geglichen wir hatten ... geglichen ihr hattet ... geglichen Sie hatten ... geglichen sie hatten ... geglichen

Also (with no ge- in past participle): vergleichen

greifen - to grasp		greifen, greift, griff, hat ... gegriffen
Imperativ *Imperative*	*Präsens* *Present*	*Perfekt* *Perfect*
greif!	ich greife du greifst er/sie/es/man greift	ich habe ... gegriffen du hast ... gegriffen er/sie/es/man hat ... gegriffen
greifen wir! greift! greifen Sie!	wir greifen ihr greift Sie greifen sie greifen	wir haben ... gegriffen ihr habt ... gegriffen Sie haben ... gegriffen sie haben ... gegriffen
Imperfekt *Imperfect*	*Futur* *Future*	*Plusquamperfekt* *Pluperfect*
ich griff du griffst er/sie/es/man griff wir griffen ihr grifft Sie griffen sie griffen	ich werde ... greifen du wirst ... greifen er/sie/es/man wird ... greifen wir werden ... greifen ihr werdet ... greifen Sie werden ... greifen sie werden ... greifen	ich hatte ... gegriffen du hattest ... gegriffen er/sie/es/man hatte ... gegriffen wir hatten ... gegriffen ihr hattet ... gegriffen Sie hatten ... gegriffen sie hatten ... gegriffen

Also: angreifen, zugreifen
Also (with no ge- in past participle): begreifen

haben - to have		haben, hat, hatte, hat … gehabt
Imperativ *Imperative*	*Präsens* *Present*	*Perfekt* *Perfect*
	ich habe	ich habe … gehabt
hab!	du hast	du hast … gehabt
	er/sie/es/man hat	er/sie/es/man hat … gehabt
haben wir!	wir haben	wir haben … gehabt
habt!	ihr habt	ihr habt … gehabt
haben Sie!	Sie haben	Sie haben … gehabt
	sie haben	sie haben … gehabt
Imperfekt *Imperfect*	*Futur* *Future*	*Plusquamperfekt* *Pluperfect*
ich hatte	ich werde … haben	ich hatte … gehabt
du hattest	du wirst … haben	du hattest … gehabt
er/sie/es/man hatte	er/sie/es/man wird … haben	er/sie/es/man hatte … gehabt
wir hatten	wir werden … haben	wir hatten … gehabt
ihr hattet	ihr werdet … haben	ihr hattet … gehabt
Sie hatten	Sie werden … haben	Sie hatten … gehabt
sie hatten	sie werden … haben	sie hatten … gehabt

Also: anhaben, **vor**haben   **Also:** Angst haben, Lust haben

halten - to stop, to hold		halten, hält, hielt, hat … gehalten
Imperativ *Imperative*	*Präsens* *Present*	*Perfekt* *Perfect*
	ich halte	ich habe … gehalten
halt!	du hältst	du hast … gehalten
	er/sie/es/man hält	er/sie/es/man hat … gehalten
halten wir!	wir halten	wir haben … gehalten
haltet!	ihr haltet	ihr habt … gehalten
halten Sie!	Sie halten	Sie haben … gehalten
	sie halten	sie haben … gehalten
Imperfekt *Imperfect*	*Futur* *Future*	*Plusquamperfekt* *Pluperfect*
ich hielt	ich werde … halten	ich hatte … gehalten
du hieltest	du wirst … halten	du hattest … gehalten
er/sie/es/man hielt	er/sie/es/man wird … halten	er/sie/es/man hatte … gehalten
wir hielten	wir werden … halten	wir hatten … gehalten
ihr hieltet	ihr werdet … halten	ihr hattet … gehalten
Sie hielten	Sie werden … halten	Sie hatten … gehalten
sie hielten	sie werden … halten	sie hatten … gehalten

Also: aufhalten, sich **auf**halten, **aus**halten, erhalten, **fest**halten
Also (with no ge- in past participle): behalten, enthalten, sich unterhalten

hängen - to hang (picture, etc)		hängen, hängt, hing, hat ... gehangen
Imperativ *Imperative*	*Präsens* *Present*	*Perfekt* *Perfect*
 häng! hängen wir! hängt! hängen Sie!	ich hänge du hängst er/sie/es/man hängt wir hängen ihr hängt Sie hängen sie hängen	ich habe ... gehangen du hast ... gehangen er/sie/es/man hat ... gehangen wir haben ... gehangen ihr habt ... gehangen Sie haben ... gehangen sie haben ... gehangen
Imperfekt *Imperfect*	*Futur* *Future*	*Plusquamperfekt* *Pluperfect*
ich hing du hingst er/sie/es/man hing wir hingen ihr hingt Sie hingen sie hingen	ich werde ... hängen du wirst ... hängen er/sie/es/man wird ... hängen wir werden ... hängen ihr werdet ... hängen Sie werden ... hängen sie werden ... hängen	ich hatte ... gehangen du hattest ... gehangen er/sie/es/man hatte ... gehangen wir hatten ... gehangen ihr hattet ... gehangen Sie hatten ... gehangen sie hatten ... gehangen

Also: abhängen

heben - to lift		heben, hebt, hob, hat ... gehoben
Imperativ *Imperative*	*Präsens* *Present*	*Perfekt* *Perfect*
 heb! heben wir! hebt! heben Sie!	ich hebe du hebst er/sie/es/man hebt wir heben ihr hebt Sie heben sie heben	ich habe ... gehoben du hast ... gchoben er/sie/es/man hat ... gehoben wir haben ... gehoben ihr habt ... gehoben Sie haben ... gehoben sie haben ... gehoben
Imperfekt *Imperfect*	*Futur* *Future*	*Plusquamperfekt* *Pluperfect*
ich hob du hobst er/sie/es/man hob wir hoben ihr hobt Sie hoben sie hoben	ich werde ... heben du wirst ... heben er/sie/es/man wird ... heben wir werden ... heben ihr werdet ... heben Sie werden ... heben sie werden ... heben	ich hatte ... gehoben du hattest ... gehoben er/sie/es/man hatte ... gehoben wir hatten ... gehoben ihr hattet ... gehoben Sie hatten ... gehoben sie hatten ... gehoben

Also: aufheben

heißen - to be called		heißen, heißt, hieß, hat ... geheißen
Imperativ *Imperative*	*Präsens* *Present*	*Perfekt* *Perfect*
	ich heiße	ich habe ... geheißen
heiße!	du heißt	du hast ... geheißen
	er/sie/es/man heißt	er/sie/es/man hat ... geheißen
heißen wir!	wir heißen	wir haben ... geheißen
heißt!	ihr heißt	ihr habt ... geheißen
heißen Sie!	Sie heißen	Sie haben ... geheißen
	sie heißen	sie haben ... geheißen
Imperfekt *Imperfect*	*Futur* *Future*	*Plusquamperfekt* *Pluperfect*
ich hieß	ich werde ... heißen	ich hatte ... geheißen
du hießest	du wirst ... heißen	du hattest ... geheißen
er/sie/es/man hieß	er/sie/es/man wird ... heißen	er/sie/es/man hatte ... geheißen
wir hießen	wir werden ... heißen	wir hatten ... geheißen
ihr hießt	ihr werdet ... heißen	ihr hattet ... geheißen
Sie hießen	Sie werden ... heißen	Sie hatten ... geheißen
sie hießen	sie werden ... heißen	sie hatten ... geheißen

helfen - to help		helfen, hilft, half, hat ... geholfen
Imperativ *Imperative*	*Präsens* *Present*	*Perfekt* *Perfect*
	ich helfe	ich habe ... geholfen
hilf!	du hilfst	du hast ... geholfen
	er/sie/es/man hilft	er/sie/es/man hat ... geholfen
helfen wir!	wir helfen	wir haben ... geholfen
helft!	ihr helft	ihr habt ... geholfen
helfen Sie!	Sie helfen	Sie haben ... geholfen
	sie helfen	sie haben ... geholfen
Imperfekt *Imperfect*	*Futur* *Future*	*Plusquamperfekt* *Pluperfect*
ich half	ich werde ... helfen	ich hatte ... geholfen
du halfst	du wirst ... helfen	du hattest ... geholfen
er/sie/es/man half	er/sie/es/man wird ... helfen	er/sie/es/man hatte ... geholfen
wir halfen	wir werden ... helfen	wir hatten ... geholfen
ihr halft	ihr werdet ... helfen	ihr hattet ... geholfen
Sie halfen	Sie werden ... helfen	Sie hatten ... geholfen
sie halfen	sie werden ... helfen	sie hatten ... geholfen

kennen - to know (person, place)		kennen, kennt, kannte, hat ... gekannt
Imperativ *Imperative*	*Präsens* *Present*	*Perfekt* *Perfect*
kenne!	ich kenne du kennst er/sie/es/man kennt	ich habe ... gekannt du hast ... gekannt er/sie/es/man hat ... gekannt
kennen wir! kennt! kennen Sie!	wir kennen ihr kennt Sie kennen sie kennen	wir haben ... gekannt ihr habt ... gekannt Sie haben ... gekannt sie haben ... gekannt
Imperfekt *Imperfect*	*Futur* *Future*	*Plusquamperfekt* *Pluperfect*
ich kannte du kanntest er/sie/es/man kannte wir kannten ihr kanntet Sie kannten sie kannten	ich werde ... kennen du wirst ... kennen er/sie/es/man wird ... kennen wir werden ... kennen ihr werdet ... kennen Sie werden ... kennen sie werden ... kennen	ich hatte ... gekannt du hattest ... gekannt er/sie/es/man hatte ... gekannt wir hatten ... gekannt ihr hattet ... gekannt Sie hatten ... gekannt sie hatten ... gekannt

Also (**with no ge- in past participle**): anerkennen, erkennen

kommen* - to come		kommen, kommt, kam, ist ... gekommen
Imperativ *Imperative*	*Präsens* *Present*	*Perfekt* *Perfect*
komm!	ich komme du kommst er/sie/es/man kommt	ich bin ... gekommen du bist ... gekommen er/sie/es/man ist ... gekommen
kommen wir! kommt! kommen Sie!	wir kommen ihr kommt Sie kommen sie kommen	wir sind ... gekommen ihr seid ... gekommen Sie sind ... gekommen sie sind ... gekommen
Imperfekt *Imperfect*	*Futur* *Future*	*Plusquamperfekt* *Pluperfect*
ich kam du kamst er/sie/es/man kam wir kamen ihr kamt Sie kamen sie kamen	ich werde ... kommen du wirst ... kommen er/sie/es/man wird ... kommen wir werden ... kommen ihr werdet ... kommen Sie werden ... kommen sie werden ... kommen	ich war ... gekommen du warst ... gekommen er/sie/es/man war ... gekommen wir waren ... gekommen ihr wart ... gekommen Sie waren ... gekommen sie waren ... gekommen

Also: **an**kommen*, **aus**kommen*, **mit**kommen*
Also (**with no ge- in past participle**): entkommen*
Also (**with haben, no ge- in past participle**): bekommen, **mit**bekommen

können - to be able to	**modal verb**	können, kann, konnte, hat … gekonnt #
Imperativ *Imperative - none*	*Präsens* *Present*	*Perfekt #* *Perfect*
	ich kann	ich habe … gekonnt
Conditional	du kannst	du hast … gekonnt
ich könnte	er/sie/es/man kann	er/sie/es/man hat … gekonnt
	wir können	wir haben … gekonnt
Alternative Perfect	ihr könnt	ihr habt … gekonnt
ich habe es machen	Sie können	Sie haben … gekonnt
können	sie können	sie haben … gekonnt
Imperfekt *Imperfect*	*Futur* *Future*	*Plusquamperfekt #* *Pluperfect*
ich konnte	ich werde … können	ich hatte … gekonnt
du konntest	du wirst … können	du hattest … gekonnt
er/sie/es/man konnte	er/sie/es/man wird … können	er/sie/es/man hatte … gekonnt
wir konnten	wir werden … können	wir hatten … gekonnt
ihr konntet	ihr werdet … können	ihr hattet … gekonnt
Sie konnten	Sie werden … können	Sie hatten … gekonnt
sie konnten	sie werden … können	sie hatten … gekonnt

\# It is advisable to use the **imperfect** of **können** in preference to the perfect. See page 8.
  Note there is **no** Umlaut in the imperfect.

laden - to load		laden, lädt, lud, hat … geladen
Imperativ *Imperative*	*Präsens* *Present*	*Perfekt* *Perfect*
	ich lade	ich habe … geladen
lade!	du lädst	du hast … geladen
	er/sie/es/man lädt	er/sie/es/man hat … geladen
laden wir!	wir laden	wir haben … geladen
ladet!	ihr ladet	ihr habt … geladen
laden Sie!	Sie laden	Sie haben … geladen
	sie laden	sie haben … geladen
Imperfekt *Imperfect*	*Futur* *Future*	*Plusquamperfekt* *Pluperfect*
ich lud	ich werde … laden	ich hatte … geladen
du ludst	du wirst … laden	du hattest … geladen
er/sie/es/man lud	er/sie/es/man wird … laden	er/sie/es/man hatte … geladen
wir luden	wir werden … laden	wir hatten … geladen
ihr ludet	ihr werdet … laden	ihr hattet … geladen
Sie luden	Sie werden … laden	Sie hatten … geladen
sie luden	sie werden … laden	sie hatten … geladen

Also: ausladen, **ein**laden

lassen - to leave		lassen, lässt, ließ, hat ... gelassen
Imperativ *Imperative*	*Präsens* *Present*	*Perfekt* *Perfect*
	ich lasse	ich habe ... gelassen
lass!	du lässt	du hast ... gelassen
	er/sie/es/man lässt	er/sie/es/man hat ... gelassen
lassen wir!	wir lassen	wir haben ... gelassen
lasst!	ihr lasst	ihr habt ... gelassen
lassen Sie!	Sie lassen	Sie haben ... gelassen
	sie lassen	sie haben ... gelassen
Imperfekt *Imperfect*	*Futur* *Future*	*Plusquamperfekt* *Pluperfect*
ich ließ	ich werde ... lassen	ich hatte ... gelassen
du ließest	du wirst ... lassen	du hattest ... gelassen
er/sie/es/man ließ	er/sie/es/man wird ... lassen	er/sie/es/man hatte ... gelassen
wir ließen	wir werden ... lassen	wir hatten ... gelassen
ihr ließt	ihr werdet ... lassen	ihr hattet ... gelassen
Sie ließen	Sie werden ... lassen	Sie hatten ... gelassen
sie ließen	sie werden ... lassen	sie hatten ... gelassen

Also: liegen lassen, machen lassen   **Also (with no ge- in past participle):** verlassen

laufen* - to run		laufen, läuft, lief, ist ... gelaufen
Imperativ *Imperative*	*Präsens* *Present*	*Perfekt* *Perfect*
	ich laufe	ich bin ... gelaufen
lauf!	du läufst	du bist ... gelaufen
	er/sie/es/man läuft	er/sie/es/man ist ... gelaufen
laufen wir!	wir laufen	wir sind ... gelaufen
lauft!	ihr lauft	ihr seid ... gelaufen
laufen Sie!	Sie laufen	Sie sind ... gelaufen
	sie laufen	sie sind ... gelaufen
Imperfekt *Imperfect*	*Futur* *Future*	*Plusquamperfekt* *Pluperfect*
ich lief	ich werde ... laufen	ich war ... gelaufen
du liefst	du wirst ... laufen	du warst ... gelaufen
er/sie/es/man lief	er/sie/es/man wird ... laufen	er/sie/es/man war ... gelaufen
wir liefen	wir werden ... laufen	wir waren ... gelaufen
ihr lieft	ihr werdet ... laufen	ihr wart ... gelaufen
Sie liefen	Sie werden ... laufen	Sie waren ... gelaufen
sie liefen	sie werden ... laufen	sie waren ... gelaufen

Also: loslaufen*   **Also (with haben in perfect and pluperfect):** sich verlaufen

leiden - to suffer		leiden, leidet, litt, hat ... gelitten
Imperativ **Imperative**	**Präsens** **Present**	**Perfekt** **Perfect**
	ich leide	ich habe ... gelitten
leide!	du leidest	du hast ... gelitten
	er/sie/es/man leidet	er/sie/es/man hat ... gelitten
leiden wir!	wir leiden	wir haben ... gelitten
leidet!	ihr leidet	ihr habt ... gelitten
leiden Sie!	Sie leiden	Sie haben ... gelitten
	sie leiden	sie haben ... gelitten
Imperfekt **Imperfect**	**Futur** **Future**	**Plusquamperfekt** **Pluperfect**
ich litt	ich werde ... leiden	ich hatte ... gelitten
du littst	du wirst ... leiden	du hattest ... gelitten
er/sie/es/man litt	er/sie/es/man wird ... leiden	er/sie/es/man hatte ... gelitten
wir litten	wir werden ... leiden	wir hatten ... gelitten
ihr littet	ihr werdet ... leiden	ihr hattet ... gelitten
Sie litten	Sie werden ... leiden	Sie hatten ... gelitten
sie litten	sie werden ... leiden	sie hatten ... gelitten

leihen - to lend		leihen, leiht, lieh, hat ... geliehen
Imperativ **Imperative**	**Präsens** **Present**	**Perfekt** **Perfect**
	ich leihe	ich habe ... geliehen
leih!	du leihst	du hast ... geliehen
	er/sie/es/man leiht	er/sie/es/man hat ... geliehen
leihen wir!	wir leihen	wir haben ... geliehen
leiht!	ihr leiht	ihr habt ... geliehen
leihen Sie!	Sie leihen	Sie haben ... geliehen
	sie leihen	sie haben ... geliehen
Imperfekt **Imperfect**	**Futur** **Future**	**Plusquamperfekt** **Pluperfect**
ich lieh	ich werde ... leihen	ich hatte ... geliehen
du liehst	du wirst ... leihen	du hattest ... geliehen
er/sie/es/man lieh	er/sie/es/man wird ... leihen	er/sie/es/man hatte ... geliehen
wir liehen	wir werden ... leihen	wir hatten ... geliehen
ihr lieht	ihr werdet ... leihen	ihr hattet ... geliehen
Sie liehen	Sie werden ... leihen	Sie hatten ... geliehen
sie liehen	sie werden ... leihen	sie hatten ... geliehen

Also: ausleihen

Also (with no ge- in the past participle): verleihen

lesen - to read		lesen, liest, las, hat ... gelesen
Imperativ / *Imperative*	*Präsens* / *Present*	*Perfekt* / *Perfect*
	ich lese	ich habe ... gelesen
lies!	du liest	du hast ... gelesen
	er/sie/es/man liest	er/sie/es/man hat ... gelesen
lesen wir!	wir lesen	wir haben ... gelesen
lest!	ihr lest	ihr habt ... gelesen
lesen Sie!	Sie lesen	Sie haben ... gelesen
	sie lesen	sie haben ... gelesen
Imperfekt / *Imperfect*	*Futur* / *Future*	*Plusquamperfekt* / *Pluperfect*
ich las	ich werde ... lesen	ich hatte ... gelesen
du lasest	du wirst ... lesen	du hattest ... gelesen
er/sie/es/man las	er/sie/es/man wird ... lesen	er/sie/es/man hatte ... gelesen
wir lasen	wir werden ... lesen	wir hatten ... gelesen
ihr last	ihr werdet ... lesen	ihr hattet ... gelesen
Sie lasen	Sie werden ... lesen	Sie hatten ... gelesen
sie lasen	sie werden ... lesen	sie hatten ... gelesen

Also: vorlesen

liegen - to lie (position)		liegen, liegt, lag, hat ... gelegen
Imperativ / *Imperative*	*Präsens* / *Present*	*Perfekt* / *Perfect*
	ich liege	ich habe ... gelegen
liege!	du liegst	du hast ... gelegen
	er/sie/es/man liegt	er/sie/es/man hat ... gelegen
liegen wir!	wir liegen	wir haben ... gelegen
liegt!	ihr liegt	ihr habt ... gelegen
liegen Sie!	Sie liegen	Sie haben ... gelegen
	sie liegen	sie haben ... gelegen
Imperfekt / *Imperfect*	*Futur* / *Future*	*Plusquamperfekt* / *Pluperfect*
ich lag	ich werde ... liegen	ich hatte ... gelegen
du lagst	du wirst ... liegen	du hattest ... gelegen
er/sie/es/man lag	er/sie/es/man wird ... liegen	er/sie/es/man hatte ... gelegen
wir lagen	wir werden ... liegen	wir hatten ... gelegen
ihr lagt	ihr werdet ... liegen	ihr hattet ... gelegen
Sie lagen	Sie werden ... liegen	Sie hatten ... gelegen
sie lagen	sie werden ... liegen	sie hatten ... gelegen

messen - to measure   messen, misst, maß, hat ... gemessen

Imperativ *Imperative*	*Präsens* *Present*	*Perfekt* *Perfect*
	ich messe	ich habe ... gemessen
miss!	du misst	du hast ... gemessen
	er/sie/es/man misst	er/sie/es/man hat ... gemessen
messen wir!	wir messen	wir haben ... gemessen
messt!	ihr messt	ihr habt ... gemessen
messen Sie!	Sie messen	Sie haben ... gemessen
	sie messen	sie haben ... gemessen
Imperfekt *Imperfect*	*Futur* *Future*	*Plusquamperfekt* *Pluperfect*
ich maß	ich werde ... messen	ich hatte ... gemessen
du maßest	du wirst ... messen	du hattest ... gemessen
er/sie/es/man maß	er/sie/es/man wird ... messen	er/sie/es/man hatte ... gemessen
wir maßen	wir werden ... messen	wir hatten ... gemessen
ihr maßt	ihr werdet ... messen	ihr hattet ... gemessen
Sie maßen	Sie werden ... messen	Sie hatten ... gemessen
sie maßen	sie werden ... messen	sie hatten ... gemessen

mögen - to like to   **modal verb**   mögen, mag, mochte, hat ... gemocht #

Imperativ *Imperative - none*	*Präsens* *Present*	*Perfekt #* *Perfect*
	ich mag	ich habe ... gemocht
Conditional	du magst	du hast ... gemocht
ich möchte	er/sie/es/man mag	er/sie/es/man hat ... gemocht
	wir mögen	wir haben ... gemocht
Alternative Perfect	ihr mögt	ihr habt ... gemocht
ich habe es machen	Sie mögen	Sie haben ... gemocht
mögen	sie mögen	sie haben ... gemocht
Imperfekt *Imperfect*	*Futur* *Future*	*Plusquamperfekt #* *Pluperfect*
ich mochte	ich werde ... mögen	ich hatte ... gemocht
du mochtest	du wirst ... mögen	du hattest ... gemocht
er/sie/es/man mochte	er/sie/es/man wird ... mögen	er/sie/es/man hatte ... gemocht
wir mochten	wir werden ... mögen	wir hatten ... gemocht
ihr mochtet	ihr werdet ... mögen	ihr hattet ... gemocht
Sie mochten	Sie werden ... mögen	Sie hatten ... gemocht
sie mochten	sie werden ... mögen	sie hatten ... gemocht

\# It is advisable to use the **imperfect** of **mögen** in preference to the perfect. See page 8.
Note there is **no** Umlaut in the imperfect.

müssen - to have to	**modal verb**	müssen, muss, musste, hat ... gemusst #
Imperativ *Imperative - none*	*Präsens* *Present*	*Perfekt #* *Perfect*
	ich muss	ich habe ... gemusst
Conditional	du musst	du hast ... gemusst
ich müsste	er/sie/es/man muss	er/sie/es/man hat ... gemusst
	wir müssen	wir haben ... gemusst
Alternative Perfect	ihr müsst	ihr habt ... gemusst
ich habe es machen	Sie müssen	Sie haben ... gemusst
müssen	sie müssen	sie haben ... gemusst
Imperfekt *Imperfect*	*Futur* *Future*	*Plusquamperfekt #* *Pluperfect*
ich musste	ich werde ... müssen	ich hatte ... gemusst
du musstest	du wirst ... müssen	du hattest ... gemusst
er/sie/es/man musste	er/sie/es/man wird ... müssen	er/sie/es/man hatte ... gemusst
wir mussten	wir werden ... müssen	wir hatten ... gemusst
ihr musstet	ihr werdet ... müssen	ihr hattet ... gemusst
Sie mussten	Sie werden ... müssen	Sie hatten ... gemusst
sie mussten	sie werden ... müssen	sie hatten ... gemusst

\# It is advisable to use the **imperfect** of **müssen** in preference to the perfect. See page 8.
Note there is **no** Umlaut in the imperfect.

nehmen - to take		nehmen, nimmt, nahm, hat ... genommen
Imperativ *Imperative*	*Präsens* *Present*	*Perfekt* *Perfect*
	ich nehme	ich habe ... genommen
nimm!	du nimmst	du hast ... genommen
	er/sie/es/man nimmt	er/sie/es/man hat ... genommen
nehmen wir!	wir nehmen	wir haben ... genommen
nehmt!	ihr nehmt	ihr habt ... genommen
nehmen Sie!	Sie nehmen	Sie haben ... genommen
	sie nehmen	sie haben ... genommen
Imperfekt *Imperfect*	*Futur* *Future*	*Plusquamperfekt* *Pluperfect*
ich nahm	ich werde ... nehmen	ich hatte ... genommen
du nahmst	du wirst ... nehmen	du hattest ... genommen
er/sie/es/man nahm	er/sie/es/man wird ... nehmen	er/sie/es/man hatte ... genommen
wir nahmen	wir werden ... nehmen	wir hatten ... genommen
ihr nahmt	ihr werdet ... nehmen	ihr hattet ... genommen
Sie nahmen	Sie werden ... nehmen	Sie hatten ... genommen
sie nahmen	sie werden ... nehmen	sie hatten ... genommen

Also: ab**nehmen**, an**nehmen**, aus**nehmen**, sich be**nehmen**, **mit**nehmen, **teil**nehmen, **zu**nehmen

nennen - to name		nennen, nennt, nannte, hat ... genannt
Imperativ *Imperative*	*Präsens* *Present*	*Perfekt* *Perfect*
	ich nenne	ich habe ... genannt
nenne!	du nennst	du hast ... genannt
	er/sie/es/man nennt	er/sie/es/man hat ... genannt
nennen wir!	wir nennen	wir haben ... genannt
nennt!	ihr nennt	ihr habt ... genannt
nennen Sie!	Sie nennen	Sie haben ... genannt
	sie nennen	sie haben ... genannt
Imperfekt *Imperfect*	*Futur* *Future*	*Plusquamperfekt* *Pluperfect*
ich nannte	ich werde ... nennen	ich hatte ... genannt
du nanntest	du wirst ... nennen	du hattest ... genannt
er/sie/es/man nannte	er/sie/es/man wird ... nennen	er/sie/es/man hatte ... genannt
wir nannten	wir werden ... nennen	wir hatten ... genannt
ihr nanntet	ihr werdet ... nennen	ihr hattet ... genannt
Sie nannten	Sie werden ... nennen	Sie hatten ... genannt
sie nannten	sie werden ... nennen	sie hatten ... genannt

raten - to guess		raten, rät, riet, hat ... geraten
Imperativ *Imperative*	*Präsens* *Present*	*Perfekt* *Perfect*
	ich rate	ich habe ... geraten
rate!	du rätst	du hast ... geraten
	er/sie/es/man rät	er/sie/es/man hat ... geraten
raten wir!	wir raten	wir haben ... geraten
ratet!	ihr ratet	ihr habt ... geraten
raten Sie!	Sie raten	Sie haben ... geraten
	sie raten	sie haben ... geraten
Imperfekt *Imperfect*	*Futur* *Future*	*Plusquamperfekt* *Pluperfect*
ich riet	ich werde ... raten	ich hatte ... geraten
du rietst	du wirst ... raten	du hattest ... geraten
er/sie/es/man riet	er/sie/es/man wird ... raten	er/sie/es/man hatte ... geraten
wir rieten	wir werden ... raten	wir hatten ... geraten
ihr rietet	ihr werdet ... raten	ihr hattet ... geraten
Sie rieten	Sie werden ... raten	Sie hatten ... geraten
sie rieten	sie werden ... raten	sie hatten ... geraten

reiben - to rub		reiben, reibt, rieb, hat ... gerieben
Imperativ *Imperative*	*Präsens* *Present*	*Perfekt* *Perfect*
	ich reibe	ich habe ... gerieben
reibe!	du reibst	du hast ... gerieben
	er/sie/es/man reibt	er/sie/es/man hat ... gerieben
reiben wir!	wir reiben	wir haben ... gerieben
reibt!	ihr reibt	ihr habt ... gerieben
reiben Sie!	Sie reiben	Sie haben ... gerieben
	sie reiben	sie haben ... gerieben
Imperfekt *Imperfect*	*Futur* *Future*	*Plusquamperfekt* *Pluperfect*
ich rieb	ich werde ... reiben	ich hatte ... gerieben
du riebst	du wirst ... reiben	du hattest ... gerieben
er/sie/es/man rieb	er/sie/es/man wird ... reiben	er/sie/es/man hatte ... gerieben
wir rieben	wir werden ... reiben	wir hatten ... gerieben
ihr riebt	ihr werdet ... reiben	ihr hattet ... gerieben
Sie rieben	Sie werden ... reiben	Sie hatten ... gerieben
sie rieben	sie werden ... reiben	sie hatten ... gerieben

reißen - to tear		reißen, reißt, riss, hat ... gerissen
Imperativ *Imperative*	*Präsens* *Present*	*Perfekt* *Perfect*
	ich reiße	ich habe ... gerissen
reiß!	du reißt	du hast ... gerissen
	er/sie/es/man reißt	er/sie/es/man hat ... gerissen
reißen wir!	wir reißen	wir haben ... gerissen
reißt!	ihr reißt	ihr habt ... gerissen
reißen Sie!	Sie reißen	Sie haben ... gerissen
	sie reißen	sie haben ... gerissen
Imperfekt *Imperfect*	*Futur* *Future*	*Plusquamperfekt* *Pluperfect*
ich riss	ich werde ... reißen	ich hatte ... gerissen
du rissest	du wirst ... reißen	du hattest ... gerissen
er/sie/es/man riss	er/sie/es/man wird ... reißen	er/sie/es/man hatte ... gerissen
wir rissen	wir werden ... reißen	wir hatten ... gerissen
ihr risst	ihr werdet ... reißen	ihr hattet ... gerissen
Sie rissen	Sie werden ... reißen	Sie hatten ... gerissen
sie rissen	sie werden ... reißen	sie hatten ... gerissen

Also: abreißen

Also (with no ge- in the past participle): zerreißen

reiten* - to ride (on horse)   reiten, reitet, ritt, ist ... geritten

Imperativ Imperative	Präsens Present	Perfekt Perfect
	ich reite	ich bin ... geritten
reite!	du reitest	du bist ... geritten
	er/sie/es/man reitet	er/sie/es/man ist ... geritten
reiten wir!	wir reiten	wir sind ... geritten
reitet!	ihr reitet	ihr seid ... geritten
reiten Sie!	Sie reiten	Sie sind ...geritten
	sie reiten	sie sind ... geritten
Imperfekt **Imperfect**	**Futur** **Future**	**Plusquamperfekt** **Pluperfect**
ich ritt	ich werde ... reiten	ich war ... geritten
du rittest	du wirst ... reiten	du warst ... geritten
er/sie/es/man ritt	er/sie/es/man wird ... reiten	er/sie/es/man war ... geritten
wir ritten	wir werden ... reiten	wir waren ... geritten
ihr rittet	ihr werdet ... reiten	ihr wart ... geritten
Sie ritten	Sie werden ... reiten	Sie waren ... geritten
sie ritten	sie werden ... reiten	sie waren ... geritten

Also (with haben in perfect and pluperfect): reiten

riechen - to smell   riechen, riecht, roch, hat ... gerochen

Imperativ Imperative	Präsens Present	Perfekt Perfect
	ich rieche	ich habe ... gerochen
rieche!	du riechst	du hast ... gerochen
	er/sie/es/man riecht	er/sie/es/man hat ... gerochen
riechen wir!	wir riechen	wir haben ... gerochen
riecht!	ihr riecht	ihr habt ... gerochen
riechen Sie!	Sie riechen	Sie haben ... gerochen
	sie riechen	sie haben ... gerochen
Imperfekt **Imperfect**	**Futur** **Future**	**Plusquamperfekt** **Pluperfect**
ich roch	ich werde ... riechen	ich hatte ... gerochen
du rochst	du wirst ... riechen	du hattest ... gerochen
er/sie/es/man roch	er/sie/es/man wird ... riechen	er/sie/es/man hatte ... gerochen
wir rochen	wir werden ... riechen	wir hatten ... gerochen
ihr rocht	ihr werdet ... riechen	ihr hattet ... gerochen
Sie rochen	Sie werden ... riechen	Sie hatten ... gerochen
sie rochen	sie werden ... riechen	sie hatten ... gerochen

rufen - to call   rufen, ruft, rief, hat ... gerufen

Imperativ *Imperative*	*Präsens* *Present*	*Perfekt* *Perfect*
	ich rufe	ich habe ... gerufen
ruf!	du rufst	du hast ... gerufen
	er/sie/es/man ruft	er/sie/es/man hat ... gerufen
rufen wir!	wir rufen	wir haben ... gerufen
ruft!	ihr ruft	ihr habt ... gerufen
rufen Sie!	Sie rufen	Sie haben ... gerufen
	sie rufen	sie haben ... gerufen
Imperfekt *Imperfect*	*Futur* *Future*	*Plusquamperfekt* *Pluperfect*
ich rief	ich werde ... rufen	ich hatte ... gerufen
du riefst	du wirst ... rufen	du hattest ... gerufen
er/sie/es/man rief	er/sie/es/man wird ... rufen	er/sie/es/man hatte ... gerufen
wir riefen	wir werden ... rufen	wir hatten ... gerufen
ihr rieft	ihr werdet ... rufen	ihr hattet ... gerufen
Sie riefen	Sie werden ... rufen	Sie hatten ... gerufen
sie riefen	sie werden ... rufen	sie hatten ... gerufen

Also: an**r**ufen, aus**r**ufen, zu**r**ufen

scheinen - to shine, to see   scheinen, scheint, schien, hat ... geschienen

Imperativ *Imperative*	*Präsens* *Present*	*Perfekt* *Perfect*
	ich scheine	ich habe ... geschienen
schein!	du scheinst	du hast ... geschienen
	er/sie/es/man scheint	er/sie/es/man hat ... geschienen
scheinen wir!	wir scheinen	wir haben ... geschienen
scheint!	ihr scheint	ihr habt ... geschienen
scheinen Sie!	Sie scheinen	Sie haben ... geschienen
	sie scheinen	sie haben ... geschienen
Imperfekt *Imperfect*	*Futur* *Future*	*Plusquamperfekt* *Pluperfect*
ich schien	ich werde ... scheinen	ich hatte ... geschienen
du schienst	du wirst ... scheinen	du hattest ... geschienen
er/sie/es/man schien	er/sie/es/man wird ... scheinen	er/sie/es/man hatte ... geschienen
wir schienen	wir werden ... scheinen	wir hatten ... geschienen
ihr schient	ihr werdet ... scheinen	ihr hattet ... geschienen
Sie schienen	Sie werden ... scheinen	Sie hatten ... geschienen
sie schienen	sie werden ... scheinen	sie hatten ... geschienen

Also (+ sein in perfect and pluperfect, no ge- in past participle): erscheinen*

schieben - to push		schieben, schiebt, schob, hat ... geschoben
Imperativ *Imperative*	*Präsens* *Present*	*Perfekt* *Perfect*
	ich schiebe	ich habe ... geschoben
schiebe!	du schiebst	du hast ... geschoben
	er/sie/es/man schiebt	er/sie/es/man hat ... geschoben
schieben wir!	wir schieben	wir haben ... geschoben
schiebt!	ihr schiebt	ihr habt ... geschoben
schieben Sie!	Sie schieben	Sie haben ... geschoben
	sie schieben	sie haben ... geschoben
Imperfekt *Imperfect*	*Futur* *Future*	*Plusquamperfekt* *Pluperfect*
ich schob	ich werde ... schieben	ich hatte ... geschoben
du schobst	du wirst ... schieben	du hattest ... geschoben
er/sie/es/man schob	er/sie/es/man wird ... schieben	er/sie/es/man hatte ... geschoben
wir schoben	wir werden ... schieben	wir hatten ... geschoben
ihr schobt	ihr werdet ... schieben	ihr hattet ... geschoben
Sie schoben	Sie werden ... schieben	Sie hatten ... geschoben
sie schoben	sie werden ... schieben	sie hatten ... geschoben

schießen - to shoot		schießen, schießt, schoss, hat ... geschossen
Imperativ *Imperative*	*Präsens* *Present*	*Perfekt* *Perfect*
	ich schieße	ich habe ... geschossen
schieß!	du schießt	du hast ... geschossen
	er/sie/es/man schießt	er/sie/es/man hat ... geschossen
schießen wir!	wir schießen	wir haben ... geschossen
schießt!	ihr schießt	ihr habt ... geschossen
schießen Sie!	Sie schießen	Sie haben ... geschossen
	sie schießen	sie haben ... geschossen
Imperfekt *Imperfect*	*Futur* *Future*	*Plusquamperfekt* *Pluperfect*
ich schoss	ich werde ... schießen	ich hatte ... geschossen
du schossest	du wirst ... schießen	du hattest ... geschossen
er/sie/es/man schoss	er/sie/es/man wird ... schießen	er/sie/es/man hatte ... geschossen
wir schossen	wir werden ... schießen	wir hatten ... geschossen
ihr schosst	ihr werdet ... schießen	ihr hattet ... geschossen
Sie schossen	Sie werden ... schießen	Sie hatten ... geschossen
sie schossen	sie werden ... schießen	sie hatten ... geschossen

Also (with no ge- in the past participle): erschießen

schlafen - to sleep		schlafen, schläft, schlief, hat ... geschlafen
Imperativ *Imperative*	*Präsens* *Present*	*Perfekt* *Perfect*
	ich schlafe	ich habe ... geschlafen
schlaf!	du schläfst	du hast ... geschlafen
	er/sie/es/man schläft	er/sie/es/man hat ... geschlafen
schlafen wir!	wir schlafen	wir haben ... geschlafen
schlaft!	ihr schlaft	ihr habt ... geschlafen
schlafen Sie!	Sie schlafen	Sie haben ... geschlafen
	sie schlafen	sie haben ... geschlafen
Imperfekt *Imperfect*	*Futur* *Future*	*Plusquamperfekt* *Pluperfect*
ich schlief	ich werde ... schlafen	ich hatte ... geschlafen
du schliefst	du wirst ... schlafen	du hattest ... geschlafen
er/sie/es/man schlief	er/sie/es/man wird ... schlafen	er/sie/es/man hatte ... geschlafen
wir schliefen	wir werden ... schlafen	wir hatten ... geschlafen
ihr schlieft	ihr werdet ... schlafen	ihr hattet ... geschlafen
Sie schliefen	Sie werden ... schlafen	Sie hatten ... geschlafen
sie schliefen	sie werden ... schlafen	sie hatten ... geschlafen

Also: ausschlafen, (sich) verschlafen
Also (with sein in perfect and pluperfect): einschlafen*

schlagen - to hit		schlagen, schlägt, schlug, hat ... geschlagen
Imperativ *Imperative*	*Präsens* *Present*	*Perfekt* *Perfect*
	ich schlage	ich habe ... geschlagen
schlag!	du schlägst	du hast ... geschlagen
	er/sie/es/man schlägt	er/sie/es/man hat ... geschlagen
schlagen wir!	wir schlagen	wir haben ... geschlagen
schlagt!	ihr schlagt	ihr habt ... geschlagen
schlagen Sie!	Sie schlagen	Sie haben ... geschlagen
	sie schlagen	sie haben ... geschlagen
Imperfekt *Imperfect*	*Futur* *Future*	*Plusquamperfekt* *Pluperfect*
ich schlug	ich werde ... schlagen	ich hatte ... geschlagen
du schlugst	du wirst ... schlagen	du hattest ... geschlagen
er/sie/es/man schlug	er/sie/es/man wird ... schlagen	er/sie/es/man hatte ... geschlagen
wir schlugen	wir werden ... schlagen	wir hatten ... geschlagen
ihr schlugt	ihr werdet ... schlagen	ihr hattet ... geschlagen
Sie schlugen	Sie werden ... schlagen	Sie hatten ... geschlagen
sie schlugen	sie werden ... schlagen	sie hatten ... geschlagen

Also: vorschlagen

schleichen* - to creep   schleichen, schleicht, schlich, ist … geschlichen

Imperativ *Imperative*	*Präsens* *Present*	*Perfekt* *Perfect*
	ich schleiche	ich bin … geschlichen
schleich!	du schleichst	du bist … geschlichen
	er/sie/es/man schleicht	er/sie/es/man ist … geschlichen
schleichen wir!	wir schleichen	wir sind … geschlichen
schleicht!	ihr schleicht	ihr seid … geschlichen
schleichen Sie!	Sie schleichen	Sie sind …geschlichen
	sie schleichen	sie sind … geschlichen

Imperfekt *Imperfect*	*Futur* *Future*	*Plusquamperfekt* *Pluperfect*
ich schlich	ich werde … schleichen	ich war … geschlichen
du schlichst	du wirst … schleichen	du warst … geschlichen
er/sie schlich	er/sie wird … schleichen	er/sie war … geschlichen
cs/man schlich	es/man wird … schleichen	es/man war … geschlichen
wir schlichen	wir werden … schleichen	wir waren … geschlichen
ihr schlicht	ihr werdet … schleichen	ihr wart … geschlichen
Sie schlichen	Sie werden … schleichen	Sie waren … geschlichen
sie schlichen	sie werden … schleichen	sie waren … geschlichen

schließen - to close   schließen, schließt, schloss, hat … geschlossen

Imperativ *Imperative*	*Präsens* *Present*	*Perfekt* *Perfect*
	ich schließe	ich habe … geschlossen
schließ!	du schließt	du hast … geschlossen
	er/sie/es/man schließt	er/sie/es/man hat … geschlossen
schließen wir!	wir schließen	wir haben … geschlossen
schließt!	ihr schließt	ihr habt … geschlossen
schließen Sie!	Sie schließen	Sie haben … geschlossen
	sie schließen	sie haben … geschlossen

Imperfekt *Imperfect*	*Futur* *Future*	*Plusquamperfekt* *Pluperfect*
ich schloss	ich werde … schließen	ich hatte … geschlossen
du schlossest	du wirst … schließen	du hattest … geschlossen
er/sie/es/man schloss	er/sie/es/man wird … schließen	er/sie/es/man hatte … geschlossen
wir schlossen	wir werden … schließen	wir hatten … geschlossen
ihr schlosst	ihr werdet … schließen	ihr hattet … geschlossen
Sie schlossen	Sie werden … schließen	Sie hatten … geschlossen
sie schlossen	sie werden … schließen	sie hatten … geschlossen

Also: abschließen, **auf**schließen, **ein**schließen, **zu**schließen
Also (with no ge- in the past participle): beschließen, sich entschließen

schneiden - to cut		schneiden, schneidet, schnitt, hat ... geschnitten
Imperativ **Imperative**	*Präsens* **Present**	*Perfekt* **Perfect**
	ich schneide	ich habe ... geschnitten
schneide!	du schneidest	du hast ... geschnitten
	er/sie/es/man schneidet	er/sie/es/man hat ... geschnitten
schneiden wir!	wir schneiden	wir haben ... geschnitten
schneidet!	ihr schneidet	ihr habt ... geschnitten
schneiden Sie!	Sie schneiden	Sie haben ... geschnitten
	sie schneiden	sie haben ... geschnitten
Imperfekt **Imperfect**	*Futur* **Future**	*Plusquamperfekt* **Pluperfect**
ich schnitt	ich werde ... schneiden	ich hatte ... geschnitten
du schnittst	du wirst ... schneiden	du hattest ... geschnitten
er/sie/es/man schnitt	er/sie/es/man wird ... schneiden	er/sie/es/man hatte ... geschnitten
wir schnitten	wir werden ... schneiden	wir hatten ... geschnitten
ihr schnittet	ihr werdet ... schneiden	ihr hattet ... geschnitten
Sie schnitten	Sie werden ... schneiden	Sie hatten ... geschnitten
sie schnitten	sie werden ... schneiden	sie hatten ... geschnitten

Also: abschneiden

schreiben - to write		schreiben, schreibt, schrieb, hat ... geschrieben
Imperativ **Imperative**	*Präsens* **Present**	*Perfekt* **Perfect**
	ich schreibe	ich habe ... geschrieben
schreib!	du schreibst	du hast ... geschrieben
	er/sie/es/man schreibt	er/sie/es/man hat ... geschrieben
schreiben wir!	wir schreiben	wir haben ... geschrieben
schreibt!	ihr schreibt	ihr habt ... geschrieben
schreiben Sie!	Sie schreiben	Sie haben ... geschrieben
	sie schreiben	sie haben ... geschrieben
Imperfekt **Imperfect**	*Futur* **Future**	*Plusquamperfekt* **Pluperfect**
ich schrieb	ich werde ... schreiben	ich hatte ... geschrieben
du schriebst	du wirst ... schreiben	du hattest ... geschrieben
er/sie/es/man schrieb	er/sie/es/man wird ... schreiben	er/sie/es/man hatte ... geschrieben
wir schrieben	wir werden ... schreiben	wir hatten ... geschrieben
ihr schriebt	ihr werdet ... schreiben	ihr hattet ... geschrieben
Sie schrieben	Sie werden ... schreiben	Sie hatten ... geschrieben
sie schrieben	sie werden ... schreiben	sie hatten ... geschrieben

Also: abschreiben
Also (with no ge- in the past participle): beschreiben, unterschreiben, verschreiben

schreien - to shout		schreien, schreit, schrie, hat ... geschrien
Imperativ / *Imperative*	*Präsens* / *Present*	*Perfekt* / *Perfect*
	ich schreie	ich habe ... geschrien
schreie!	du schreist	du hast ... geschrien
	er/sie/es/man schreit	er/sie/es/man hat ... geschrien
schreien wir!	wir schreien	wir haben ... geschrien
schreit!	ihr schreit	ihr habt ... geschrien
schreien Sie!	Sie schreien	Sie haben ... geschrien
	sie schreien	sie haben ... geschrien
Imperfekt / *Imperfect*	*Futur* / *Future*	*Plusquamperfekt* / *Pluperfect*
ich schrie	ich werde ... schreien	ich hatte ... geschrien
du schriest	du wirst ... schreien	du hattest ... geschrien
er/sie/es/man schrie	er/sie/es/man wird ... schreien	er/sie/es/man hatte ... geschrien
wir schrien	wir werden ... schreien	wir hatten ... geschrien
ihr schriet	ihr werdet ... schreien	ihr hattet ... geschrien
Sie schrien	Sie werden ... schreien	Sie hatten ... geschrien
sie schrien	sie werden ... schreien	sie hatten ... geschrien

Also: anschreien

schweigen - to be silent		schweigen, schweigt, schwieg, hat ... geschwiegen
Imperativ / *Imperative*	*Präsens* / *Present*	*Perfekt* / *Perfect*
	ich schweige	ich habe ... geschwiegen
schweig!	du schweigst	du hast ... geschwiegen
	er/sie/es/man schweigt	er/sie/es/man hat ... geschwiegen
schweigen wir	wir schweigen	wir haben ... geschwiegen
schweigt!	ihr schweigt	ihr habt ... geschwiegen
schweigen Sie!	Sie schweigen	Sie haben ... geschwiegen
	sie schweigen	sie haben ... geschwiegen
Imperfekt / *Imperfect*	*Futur* / *Future*	*Plusquamperfekt* / *Pluperfect*
ich schwieg	ich werde ... schweigen	ich hatte ... geschwiegen
du schwiegst	du wirst ... schweigen	du hattest ... geschwiegen
er/sie schwieg	er/sie wird ... schweigen	er/sie hatte ... geschwiegen
es/man schwieg	es/man wird ... schweigen	es/man hatte ... geschwiegen
wir schwiegen	wir werden ... schweigen	wir hatten ... geschwiegen
ihr schwiegt	ihr werdet ... schweigen	ihr hattet ... geschwiegen
Sie schwiegen	Sie werden ... schweigen	Sie hatten ... geschwiegen
sie schwiegen	sie werden ... schweigen	sie hatten ... geschwiegen

schwimmen* - to swim		schwimmen, schwimmt, schwamm, ist ... geschwommen
Imperativ / *Imperative*	*Präsens* / *Present*	*Perfekt* / *Perfect*
	ich schwimme	ich bin ... geschwommen
schwimm!	du schwimmst	du bist ... geschwommen
	er/sie/es/man schwimmt	er/sie/es/man ist ... geschwommen
schwimmen wir!	wir schwimmen	wir sind ... geschwommen
schwimmt!	ihr schwimmt	ihr seid ... geschwommen
schwimmen Sie!	Sie schwimmen	Sie sind ...geschwommen
	sie schwimmen	sie sind ... geschwommen
Imperfekt / *Imperfect*	*Futur* / *Future*	*Plusquamperfekt* / *Pluperfect*
ich schwamm	ich werde ... schwimmen	ich war ... geschwommen
du schwammst	du wirst ... schwimmen	du warst ... geschwommen
er/sie schwamm	er/sie wird ... schwimmen	er/sie war ... geschwommen
es/man schwamm	es/man wird ... schwimmen	es/man war ... geschwommen
wir schwammen	wir werden ... schwimmen	wir waren ... geschwommen
ihr schwammt	ihr werdet ... schwimmen	ihr wart ... geschwommen
Sie schwammen	Sie werden ... schwimmen	Sie waren ... geschwommen
sie schwammen	sie werden ... schwimmen	sie waren ... geschwommen

Also (with haben in perfect and pluperfect): schwimmen

sehen - to see		sehen, sieht, sah, hat ... gesehen
Imperativ / *Imperative*	*Präsens* / *Present*	*Perfekt* / *Perfect*
	ich sehe	ich habe ... gesehen
sieh!	du siehst	du hast ... gesehen
	er/sie/es/man sieht	er/sie/es/man hat ... gesehen
sehen wir!	wir sehen	wir haben ... gesehen
seht!	ihr seht	ihr habt ... gesehen
sehen Sie!	Sie sehen	Sie haben ... gesehen
	sie sehen	sie haben ... gesehen
Imperfekt / *Imperfect*	*Futur* / *Future*	*Plusquamperfekt* / *Pluperfect*
ich sah	ich werde ... sehen	ich hatte ... gesehen
du sahst	du wirst ... sehen	du hattest ... gesehen
er/sie/es/man sah	er/sie/es/man wird ... sehen	er/sie/es/man hatte ... gesehen
wir sahen	wir werden ... sehen	wir hatten ... gesehen
ihr saht	ihr werdet ... sehen	ihr hattet ... gesehen
Sie sahen	Sie werden ... sehen	Sie hatten ... gesehen
sie sahen	sie werden ... sehen	sie hatten ... gesehen

Also: ansehen, fernsehen, zusehen

sein* - to be		sein, ist, war, ist … gewesen
Imperativ *Imperative*	*Präsens* *Present*	*Perfekt* *Perfect*
	ich bin	ich bin … gewesen
sei!	du bist	du bist … gewesen
	er/sie/es/man ist	er/sie/es/man ist … gewesen
seien wir!	wir sind	wir sind … gewesen
seid!	ihr seid	ihr seid … gewesen
seien Sie!	Sie sind	Sie sind …gewesen
	sie sind	sie sind … gewesen
Imperfekt *Imperfect*	*Futur* *Future*	*Plusquamperfekt* *Pluperfect*
ich war	ich werde … sein	ich war … gewesen
du warst	du wirst … sein	du warst … gewesen
er/sie/es/man war	er/sie/es/man wird … sein	er/sie/es/man war … gewesen
wir warcn	wir werden … sein	wir waren … gewesen
ihr wart	ihr werdet … sein	ihr wart … gewesen
Sie waren	Sie werden … sein	Sie waren … gewesen
sie waren	sie werden … sein	sie waren … gewesen

singen - to sing		singen, singt, sang, hat … gesungen
Imperativ *Imperative*	*Präsens* *Present*	*Perfekt* *Perfect*
	ich singe	ich habe … gesungen
sing!	du singst	du hast … gesungen
	er/sie/es/man singt	er/sie/es/man hat … gesungen
singen wir!	wir singen	wir haben … gesungen
singt!	ihr singt	ihr habt … gesungen
singen Sie!	Sie singen	Sie haben … gesungen
	sie singen	sie haben … gesungen
Imperfekt *Imperfect*	*Futur* *Future*	*Plusquamperfekt* *Pluperfect*
ich sang	ich werde … singen	ich hatte … gesungen
du sangst	du wirst … singen	du hattest … gesungen
er/sie/es/man sang	er/sie/es/man wird … singen	er/sie/es/man hatte … gesungen
wir sangen	wir werden … singen	wir hatten … gesungen
ihr sangt	ihr werdet … singen	ihr hattet … gesungen
Sie sangen	Sie werden … singen	Sie hatten … gesungen
sie sangen	sie werden … singen	sie hatten … gesungen

sinken* - to sink		sinken, sinkt, sank, ist … gesunken
Imperativ / *Imperative*	*Präsens* / *Present*	*Perfekt* / *Perfect*
	ich sinke	ich bin … gesunken
sink!	du sinkst	du bist … gesunken
	er/sie/es/man sinkt	er/sie/es/man ist … gesunken
sinken wir!	wir sinken	wir sind … gesunken
sinkt!	ihr sinkt	ihr seid … gesunken
sinken Sie!	Sie sinken	Sie sind …gesunken
	sie sinken	sie sind … gesunken
Imperfekt / *Imperfect*	*Futur* / *Future*	*Plusquamperfekt* / *Pluperfect*
ich sank	ich werde … sinken	ich war … gesunken
du sankst	du wirst … sinken	du warst … gesunken
er/sie/es/man sank	er/sie/es/man wird … sinken	er/sie/es/man war … gesunken
wir sanken	wir werden … sinken	wir waren … gesunken
ihr sankt	ihr werdet … sinken	ihr wart … gesunken
Sie sanken	Sie werden … sinken	Sie waren … gesunken
sie sanken	sie werden … sinken	sie waren … gesunken

sitzen - to sit		sitzen, sitzt, saß, hat … gesessen
Imperativ / *Imperative*	*Präsens* / *Present*	*Perfekt* / *Perfect*
	ich sitze	ich habe … gesessen
sitze!	du sitzt	du hast … gesessen
	er/sie/es/man sitzt	er/sie/es/man hat … gesessen
sitzen wir!	wir sitzen	wir haben … gesessen
sitzt!	ihr sitzt	ihr habt … gesessen
sitzen Sie!	Sie sitzen	Sie haben … gesessen
	sie sitzen	sie haben … gesessen
Imperfekt / *Imperfect*	*Futur* / *Future*	*Plusquamperfekt* / *Pluperfect*
ich saß	ich werde … sitzen	ich hatte … gesessen
du saßest	du wirst … sitzen	du hattest … gesessen
er/sie/es/man saß	er/sie/es/man wird … sitzen	er/sie/es/man hatte … gesessen
wir saßen	wir werden … sitzen	wir hatten … gesessen
ihr saßt	ihr werdet … sitzen	ihr hattet … gesessen
Sie saßen	Sie werden … sitzen	Sie hatten … gesessen
sie saßen	sie werden … sitzen	sie hatten … gesessen

Also: nachsitzen
Also (with no ge- in the past participle): besitzen

sollen - to be supposed to, to ought to   **modal verb**   sollen, soll, sollte, hat ... gesollt #

Imperativ *Imperative - none*	*Präsens* *Present*	*Perfekt #* *Perfect*
	ich soll	ich habe ... gesollt
Conditional	du solltest	du hast ... gesollt
ich sollte	er/sie/es/man soll	er/sie/es/man hat ... gesollt
	wir sollen	wir haben ... gesollt
Alternative Perfect	ihr sollt	ihr habt ... gesollt
ich habe es machen	Sie sollen	Sie haben ... gesollt
sollen	sie sollen	sie haben ... gesollt
Imperfekt *Imperfect*	*Futur* *Future*	*Plusquamperfekt #* *Pluperfect*
ich sollte	ich werde ... sollen	ich hatte ... gesollt
du solltest	du wirst ... sollen	du hattest ... gesollt
er/sie/es/man sollte	er/sie/es/man wird ... sollen	er/sie/es/man hatte ... gesollt
wir sollten	wir werden ... sollen	wir hatten ... gesollt
ihr solltet	ihr werdet ... sollen	ihr hattet ... gesollt
Sie sollten	Sie werden ... sollen	Sie hatten ... gesollt
sie sollten	sie werden ... sollen	sie hatten ... gesollt

\#   It is advisable to use the **imperfect** of **sollen** in preference to the perfect. See page 8.

sprechen - to speak   sprechen, spricht, sprach, hat ... gesprochen

Imperativ *Imperative*	*Präsens* *Present*	*Perfekt* *Perfect*
	ich spreche	ich habe ... gesprochen
sprich!	du sprichst	du hast ... gesprochen
	er/sie/es/man spricht	er/sie/es/man hat ... gesprochen
sprechen wir!	wir sprechen	wir haben ... gesprochen
sprecht!	ihr sprecht	ihr habt ... gesprochen
sprechen Sie!	Sie sprechen	Sie haben ... gesprochen
	sie sprechen	sie haben ... gesprochen
Imperfekt *Imperfect*	*Futur* *Future*	*Plusquamperfekt* *Pluperfect*
ich sprach	ich werde ... sprechen	ich hatte ... gesprochen
du sprachst	du wirst ... sprechen	du hattest ... gesprochen
er/sie/es/man sprach	er/sie/es/man wird ... sprechen	er/sie/es/man hatte ... gesprochen
wir sprachen	wir werden ... sprechen	wir hatten ... gesprochen
ihr spracht	ihr werdet ... sprechen	ihr hattet ... gesprochen
Sie sprachen	Sie werden ... sprechen	Sie hatten ... gesprochen
sie sprachen	sie werden ... sprechen	sie hatten ... gesprochen

Also: ansprechen

Also (with no ge- in the past participle): besprechen, versprechen

springen* - to jump		springen, springt, sprang, ist ... gesprungen
Imperativ *Imperative*	*Präsens* *Present*	*Perfekt* *Perfect*
	ich springe	ich bin ... gesprungen
spring!	du springst	du bist ... gesprungen
	er/sie/es/man springt	er/sie/es/man ist ... gesprungen
springen wir!	wir springen	wir sind ... gesprungen
springt!	ihr springt	ihr seid ... gesprungen
springen Sie!	Sie springen	Sie sind ...gesprungen
	sie springen	sie sind ... gesprungen
Imperfekt *Imperfect*	*Futur* *Future*	*Plusquamperfekt* *Pluperfect*
ich sprang	ich werde ... springen	ich war ... gesprungen
du sprangst	du wirst ... springen	du warst ... gesprungen
er/sie/es/man sprang	er/sie/es/man wird ... springen	er/sie/es/man war ... gesprungen
wir sprangen	wir werden ... springen	wir waren ... gesprungen
ihr sprangt	ihr werdet ... springen	ihr wart ... gesprungen
Sie sprangen	Sie werden ... springen	Sie waren ... gesprungen
sie sprangen	sie werden ... springen	sie waren ... gesprungen

Also (may have sein or haben in perfect and pluperfect): anspringen(*)

stechen - to sting		stechen, sticht, stach, hat ... gestochen
Imperativ *Imperative*	*Präsens* *Present*	*Perfekt* *Perfect*
	ich steche	ich habe ... gestochen
stich!	du stichst	du hast ... gestochen
	er/sie/es/man sticht	er/sie/es/man hat ... gestochen
stechen wir!	wir stechen	wir haben ... gestochen
stecht!	ihr stecht	ihr habt ... gestochen
stechen Sie!	Sie stechen	Sie haben ... gestochen
	sie stechen	sie haben ... gestochen
Imperfekt *Imperfect*	*Futur* *Future*	*Plusquamperfekt* *Pluperfect*
ich stach	ich werde ... stechen	ich hatte ... gestochen
du stachst	du wirst ... stechen	du hattest ... gestochen
er/sie/es/man stach	er/sie/es/man wird ... stechen	er/sie/es/man hatte ... gestochen
wir stachen	wir werden ... stechen	wir hatten ... gestochen
ihr stacht	ihr werdet ... stechen	ihr hattet ... gestochen
Sie stachen	Sie werden ... stechen	Sie hatten ... gestochen
sie stachen	sie werden ... stechen	sie hatten ... gestochen

stehen - to stand		stehen, steht, stand, hat ... gestanden
Imperativ *Imperative*	*Präsens* *Present*	*Perfekt* *Perfect*
	ich stehe	ich habe ... gestanden
steh!	du stehst	du hast ... gestanden
	er/sie/es/man steht	er/sie/es/man hat ... gestanden
stehen wir!	wir stehen	wir haben ... gestanden
steht!	ihr steht	ihr habt ... gestanden
stehen Sie!	Sie stehen	Sie haben ... gestanden
	sie stehen	sie haben ... gestanden
Imperfekt *Imperfect*	*Futur* *Future*	*Plusquamperfekt* *Pluperfect*
ich stand	ich werde ... stehen	ich hatte ... gestanden
du standst	du wirst ... stehen	du hattest ... gestanden
er/sie/es/man stand	er/sie/es/man wird ... stehen	er/sie/es/man hatte ... gestanden
wir standen	wir werden ... stehen	wir hatten ... gestanden
ihr standet	ihr werdet ... stehen	ihr hattet ... gestanden
Sie standen	Sie werden ... stehen	Sie hatten ... gestanden
sie standen	sie werden ... stehen	sie hatten ... gestanden

Also: ausstehen   **Also (with sein in perfect and pluperfect): auf**stehen*

Also (with no ge- in the past participle): bestehen, verstehen

stehlen - to steal		stehlen, stiehlt, stahl, hat ... gestohlen
Imperativ *Imperative*	*Präsens* *Present*	*Perfekt* *Perfect*
	ich stehle	ich habe ... gestohlen
stiehl!	du stiehlst	du hast ... gestohlen
	er/sie/es/man stiehlt	er/sie/es/man hat ... gestohlen
stehlen wir!	wir stehlen	wir haben ... gestohlen
stehlt!	ihr stehlt	ihr habt ... gestohlen
stehlen Sie!	Sie stehlen	Sie haben ... gestohlen
	sie stehlen	sie haben ... gestohlen
Imperfekt *Imperfect*	*Futur* *Future*	*Plusquamperfekt* *Pluperfect*
ich stahl	ich werde ... stehlen	ich hatte ... gestohlen
du stahlst	du wirst ... stehlen	du hattest ... gestohlen
er/sie/es/man stahl	er/sie/es/man wird ... stehlen	er/sie/es/man hatte ... gestohlen
wir stahlen	wir werden ... stehlen	wir hatten ... gestohlen
ihr stahlt	ihr werdet ... stehlen	ihr hattet ... gestohlen
Sie stahlen	Sie werden ... stehlen	Sie hatten ... gestohlen
sie stahlen	sie werden ... stehlen	sie hatten ... gestohlen

steigen* - to climb		steigen, steigt, stieg, ist … gestiegen
Imperativ *Imperative*	*Präsens* *Present*	*Perfekt* *Perfect*
	ich steige	ich bin … gestiegen
steig!	du steigst	du bist … gestiegen
	er/sie/es/man steigt	er/sie/es/man ist … gestiegen
steigen wir!	wir steigen	wir sind … gestiegen
steigt!	ihr steigt	ihr seid … gestiegen
steigen Sie!	Sie steigen	Sie sind …gestiegen
	sie steigen	sie sind … gestiegen
Imperfekt *Imperfect*	*Futur* *Future*	*Plusquamperfekt* *Pluperfect*
ich stieg	ich werde … steigen	ich war … gestiegen
du stiegst	du wirst … steigen	du warst … gestiegen
er/sie/es/man stieg	er/sie/es/man wird … steigen	er/sie/es/man war … gestiegen
wir stiegen	wir werden … steigen	wir waren … gestiegen
ihr stiegt	ihr werdet … steigen	ihr wart … gestiegen
Sie stiegen	Sie werden … steigen	Sie waren … gestiegen
sie stiegen	sie werden … steigen	sie waren … gestiegen

Also: aussteigen*, **ein**steigen*, **hinauf**steigen*, **hinunter**steigen*, **um**steigen*

Also (with no ge- in past participle and haben in perfect and pluperfect): besteigen

sterben* - to die		sterben, stirbt, starb, ist … gestorben
Imperativ *Imperative*	*Präsens* *Present*	*Perfekt* *Perfect*
	ich sterbe	ich bin … gestorben
stirb!	du stirbst	du bist … gestorben
	er/sie/es/man stirbt	er/sie/es/man ist … gestorben
sterben wir!	wir sterben	wir sind … gestorben
sterbt!	ihr sterbt	ihr seid … gestorben
sterben Sie!	Sie sterben	Sie sind …gestorben
	sie sterben	sie sind … gestorben
Imperfekt *Imperfect*	*Futur* *Future*	*Plusquamperfekt* *Pluperfect*
ich starb	ich werde … sterben	ich war … gestorben
du starbst	du wirst … sterben	du warst … gestorben
er/sie/es/man starb	er/sie/es/man wird … sterben	er/sie/es/man war … gestorben
wir starben	wir werden … sterben	wir waren … gestorben
ihr starbt	ihr werdet … sterben	ihr wart … gestorben
Sie starben	Sie werden … sterben	Sie waren … gestorben
sie starben	sie werden … sterben	sie waren … gestorben

Also: aussterben*

stinken - to smell bad   stinken, stinkt, stank, hat ... gestunken

Imperativ *Imperative*	*Präsens* *Present*	*Perfekt* *Perfect*
	ich stinke	ich habe ... gestunken
stink!	du stinkst	du hast ... gestunken
	er/sie/es/man stinkt	er/sie/es/man hat ... gestunken
stinken wir!	wir stinken	wir haben ... gestunken
stinkt!	ihr stinkt	ihr habt ... gestunken
stinken Sie!	Sie stinken	Sie haben ... gestunken
	sie stinken	sie haben ... gestunken

Imperfekt *Imperfect*	*Futur* *Future*	*Plusquamperfekt* *Pluperfect*
ich stank	ich werde ... stinken	ich hatte ... gestunken
du stankst	du wirst ... stinken	du hattest ... gestunken
er/sie/es/man stank	er/sie/es/man wird ... stinken	er/sie/es/man hatte ... gestunken
wir stanken	wir werden ... stinken	wir hatten ... gestunken
ihr stankt	ihr werdet ... stinken	ihr hattet ... gestunken
Sie stanken	Sie werden ... stinken	Sie hatten ... gestunken
sie stanken	sie werden ... stinken	sie hatten ... gestunken

stoßen - to bump, to push   stoßen, stößt, stieß, hat ... gestoßen

Imperativ *Imperative*	*Präsens* *Present*	*Perfekt* *Perfect*
	ich stoße	ich habe ... gestoßen
stoß!	du stößt	du hast ... gestoßen
	er/sie/es/man stößt	er/sie/es/man hat ... gestoßen
stoßen wir!	wir stoßen	wir haben ... gestoßen
stoßt!	ihr stoßt	ihr habt ... gestoßen
stoßen Sie!	Sie stoßen	Sie haben ... gestoßen
	sie stoßen	sie haben ... gestoßen

Imperfekt *Imperfect*	*Futur* *Future*	*Plusquamperfekt* *Pluperfect*
ich stieß	ich werde ... stoßen	ich hatte ... gestoßen
du stießest	du wirst ... stoßen	du hattest ... gestoßen
er/sie/es/man stieß	er/sie/es/man wird ... stoßen	er/sie/es/man hatte ... gestoßen
wir stießen	wir werden ... stoßen	wir hatten ... gestoßen
ihr stießt	ihr werdet ... stoßen	ihr hattet ... gestoßen
Sie stießen	Sie werden ... stoßen	Sie hatten ... gestoßen
sie stießen	sie werden ... stoßen	sie hatten ... gestoßen

Also: anstoßen, sich stoßen
Also (with sein in perfect and pluperfect): zusammenstoßen*

streichen - to cancel, to paint, to stroke   streichen, streicht, strich, hat ... gestrichen

Imperativ *Imperative*	*Präsens* *Present*	*Perfekt* *Perfect*
	ich streiche	ich habe ... gestrichen
streiche!	du streichst	du hast ... gestrichen
	er/sie/es/man streicht	er/sie/es/man hat ... gestrichen
streichen wir!	wir streichen	wir haben ... gestrichen
streicht!	ihr streicht	ihr habt ... gestrichen
streichen Sie!	Sie streichen	Sie haben ... gestrichen
	sie streichen	sie haben ... gestrichen
Imperfekt *Imperfect*	*Futur* *Future*	*Plusquamperfekt* *Pluperfect*
ich strich	ich werde ... streichen	ich hatte ... gestrichen
du strichst	du wirst ... streichen	du hattest ... gestrichen
er/sie/es/man strich	er/sie/es/man wird ... streichen	er/sie/es/man hatte ... gestrichen
wir strichen	wir werden ... streichen	wir hatten ... gestrichen
ihr stricht	ihr werdet ... streichen	ihr hattet ... gestrichen
Sie strichen	Sie werden ... streichen	Sie hatten ... gestrichen
sie strichen	sie werden ... streichen	sie hatten ... gestrichen

Also: anstreichen

streiten - to argue, to dispute   streiten, streitet, stritt, hat ... gestritten

Imperativ *Imperative*	*Präsens* *Present*	*Perfekt* *Perfect*
	ich streite	ich habe ... gestritten
streite!	du streitest	du hast ... gestritten
	er/sie/es/man streitet	er/sie/es/man hat ... gestritten
streiten wir!	wir streiten	wir haben ... gestritten
streitet!	ihr streitet	ihr habt ... gestritten
streiten Sie!	Sie streiten	Sie haben ... gestritten
	sie streiten	sie haben ... gestritten
Imperfekt *Imperfect*	*Futur* *Future*	*Plusquamperfekt* *Pluperfect*
ich stritt	ich werde ... streiten	ich hatte ... gestritten
du strittst	du wirst ... streiten	du hattest ... gestritten
er/sie/es/man stritt	er/sie/es/man wird ... streiten	er/sie/es/man hatte ... gestritten
wir stritten	wir werden ... streiten	wir hatten ... gestritten
ihr strittet	ihr werdet ... streiten	ihr hattet ... gestritten
Sie stritten	Sie werden ... streiten	Sie hatten ... gestritten
sie stritten	sie werden ... streiten	sie hatten ... gestritten

Also: sich streiten

tragen - to wear, to carry   tragen, trägt, trug, hat … getragen

Imperativ *Imperative*	*Präsens* *Present*	*Perfekt* *Perfect*
	ich trage	ich habe … getragen
trag!	du trägst	du hast … getragen
	er/sie/es/man trägt	er/sie/es/man hat … getragen
tragen wir!	wir tragen	wir haben … getragen
tragt!	ihr tragt	ihr habt … getragen
tragen Sie!	Sie tragen	Sie haben … getragen
	sie tragen	sie haben … getragen
Imperfekt *Imperfect*	*Futur* *Future*	*Plusquamperfekt* *Pluperfect*
ich trug	ich werde … tragen	ich hatte … getragen
du trugst	du wirst … tragen	du hattest … getragen
er/sie/es/man trug	er/sie/es/man wird … tragen	er/sie/es/man hatte … getragen
wir trugen	wir werden … tragen	wir hatten … getragen
ihr trugt	ihr werdet … tragen	ihr hattet … getragen
Sie trugen	Sie werden … tragen	Sie hatten … getragen
sie trugen	sie werden … tragen	sie hatten … getragen

Also: beitragen, **ein**tragen   **Also (with no ge- in the past participle):** sich vertragen

treffen - to meet   treffen, trifft, traf, hat … getroffen

Imperativ *Imperative*	*Präsens* *Present*	*Perfekt* *Perfect*
	ich treffe	ich habe … getroffen
triff!	du triffst	du hast … getroffen
	er/sie/es/man trifft	er/sie/es/man hat … getroffen
treffen wir!	wir treffen	wir haben … getroffen
trefft!	ihr trefft	ihr habt … getroffen
treffen Sie!	Sie treffen	Sie haben … getroffen
	sie treffen	sie haben … getroffen
Imperfekt *Imperfect*	*Futur* *Future*	*Plusquamperfekt* *Pluperfect*
ich traf	ich werde … treffen	ich hatte … getroffen
du trafst	du wirst … treffen	du hattest … getroffen
er/sie/es/man traf	er/sie/es/man wird … treffen	er/sie/es/man hatte … getroffen
wir trafen	wir werden … treffen	wir hatten … getroffen
ihr traft	ihr werdet … treffen	ihr hattet … getroffen
Sie trafen	Sie werden … treffen	Sie hatten … getroffen
sie trafen	sie werden … treffen	sie hatten … getroffen

Also: sich treffen

treiben - to do (sport)		treiben, treibt, trieb, hat ... getrieben
Imperativ *Imperative*	*Präsens* *Present*	*Perfekt* *Perfect*
treib!	ich treibe du treibst er/sie/es/man treibt	ich habe ... getrieben du hast ... getrieben er/sie/es/man hat ... getrieben
treiben wir! treibt! treiben Sie!	wir treiben ihr treibt Sie treiben sie treiben	wir haben ... getrieben ihr habt ... getrieben Sie haben ... getrieben sie haben ... getrieben
Imperfekt *Imperfect*	*Futur* *Future*	*Plusquamperfekt* *Pluperfect*
ich trieb du triebst er/sie/es/man trieb wir trieben ihr triebt Sie trieben sie trieben	ich werde ... treiben du wirst ... treiben er/sie/es/man wird ... treiben wir werden ... treiben ihr werdet ... treiben Sie werden ... treiben sie werden ... treiben	ich hatte ... getrieben du hattest ... getrieben er/sie/es/man hatte ... getrieben wir hatten ... getrieben ihr hattet ... getrieben Sie hatten ... getrieben sie hatten ... getrieben

Also (with no ge- in the past participle): übertreiben

treten - to kick, to step		treten, tritt, trat, hat ... getreten
Imperativ *Imperative*	*Präsens* *Present*	*Perfekt* *Perfect*
tritt!	ich trete du trittst er/sie/es/man tritt	ich habe ... getreten du hast ... getreten er/sie/es/man hat ... getreten
treten wir! tretet! treten Sie!	wir treten ihr tretet Sie treten sie treten	wir haben ... getreten ihr habt ... getreten Sie haben ... getreten sie haben ... getreten
Imperfekt *Imperfect*	*Futur* *Future*	*Plusquamperfekt* *Pluperfect*
ich trat du tratst er/sie/es/man trat wir traten ihr tratet Sie traten sie traten	ich werde ... treten du wirst ... treten er/sie/es/man wird ... treten wir werden ... treten ihr werdet ... treten Sie werden ... treten sie werden ... treten	ich hatte ... getreten du hattest ... getreten er/sie/es/man hatte ... getreten wir hatten ... getreten ihr hattet ... getreten Sie hatten ... getreten sie hatten ... getreten

Also (with sein in perfect and pluperfect): eintreten*, treten*
Also (with no ge- in the past participle): betreten, vertreten

trinken - to drink		trinken, trinkt, trank, hat … getrunken
Imperativ / *Imperative*	*Präsens* / *Present*	*Perfekt* / *Perfect*
	ich trinke	ich habe … getrunken
trink!	du trinkst	du hast … getrunken
	er/sie/es/man trinkt	er/sie/es/man hat … getrunken
trinken wir!	wir trinken	wir haben … getrunken
trinkt!	ihr trinkt	ihr habt … getrunken
trinken Sie!	Sie trinken	Sie haben … getrunken
	sie trinken	sie haben … getrunken
Imperfekt / *Imperfect*	*Futur* / *Future*	*Plusquamperfekt* / *Pluperfect*
ich trank	ich werde … trinken	ich hatte … getrunken
du trankst	du wirst … trinken	du hattest … getrunken
er/sie/es/man trank	er/sie/es/man wird … trinken	er/sie/es/man hatte … getrunken
wir tranken	wir werden … trinken	wir hatten … getrunken
ihr trankt	ihr werdet … trinken	ihr hattet … getrunken
Sie tranken	Sie werden … trinken	Sie hatten … getrunken
sie tranken	sie werden … trinken	sie hatten … getrunken

Also (with no ge- in the past participle): sich betrinken, ertrinken

tun - to do		tun, tut, tat, hat … getan
Imperativ / *Imperative*	*Präsens* / *Present*	*Perfekt* / *Perfect*
	ich tue	ich habe … getan
tu!	du tust	du hast … getan
	er/sie/es/man tut	er/sie/es/man hat … getan
tun wir!	wir tun	wir haben … getan
tut!	ihr tut	ihr habt … getan
tun Sie!	Sie tun	Sie haben … getan
	sie tun	sie haben … getan
Imperfekt / *Imperfect*	*Futur* / *Future*	*Plusquamperfekt* / *Pluperfect*
ich tat	ich werde … tun	ich hatte … getan
du tatst	du wirst … tun	du hattest … getan
er/sie/es/man tat	er/sie/es/man wird … tun	er/sie/es/man hatte … getan
wir taten	wir werden … tun	wir hatten … getan
ihr tatet	ihr werdet … tun	ihr hattet … getan
Sie taten	Sie werden … tun	Sie hatten … getan
sie taten	sie werden … tun	sie hatten … getan

Also: Leid tun, **weh**tun

verlieren - to lose		verlieren, verliert, verlor, hat ... verloren
Imperativ *Imperative*	*Präsens* *Present*	*Perfekt* *Perfect*
	ich verliere	ich habe ... verloren
verlier!	du verlierst	du hast ... verloren
	er/sie/es/man verliert	er/sie/es/man hat ... verloren
verlieren wir!	wir verlieren	wir haben ... verloren
verliert!	ihr verliert	ihr habt ... verloren
verlieren Sie!	Sie verlieren	Sie haben ... verloren
	sie verlieren	sie haben ... verloren
Imperfekt *Imperfect*	*Futur* *Future*	*Plusquamperfekt* *Pluperfect*
ich verlor	ich werde ... verlieren	ich hatte ... verloren
du verlorst	du wirst ... verlieren	du hattest ... verloren
er/sie verlor	er/sie wird ... verlieren	er/sie hatte … verloren
es/man verlor	es/man wird ... verlieren	es/man hatte ... verloren
wir verloren	wir werden ... verlieren	wir hatten ... verloren
ihr verlort	ihr werdet ... verlieren	ihr hattet ... verloren
Sie verloren	Sie werden ... verlieren	Sie hatten ... verloren
sie verloren	sie werden ... verlieren	sie hatten ... verloren

vermeiden - to avoid		vermeiden, vermeidet, vermied, hat ... vermieden
Imperativ *Imperative*	*Präsens* *Present*	*Perfekt* *Perfect*
	ich vermeide	ich habe ... vermieden
vermeide!	du vermeidest	du hast ... vermieden
	er/sie/es/man vermeidet	er/sie/es/man hat ... vermieden
vermeiden wir!	wir vermeiden	wir haben ... vermieden
vermeidet!	ihr vermeidet	ihr habt ... vermieden
vermeiden Sie!	Sie vermeiden	Sie haben ... vermieden
	sie vermeiden	sie haben ... vermieden
Imperfekt *Imperfect*	*Futur* *Future*	*Plusquamperfekt* *Pluperfect*
ich vermied	ich werde ... vermeiden	ich hatte ... vermieden
du vermiedst	du wirst ... vermeiden	du hattest ... vermieden
er/sie vermied	er/sie wird. … vermeiden	er/sie hatte … vermieden
es/man vermied	es/man wird ... vermeiden	es/man hatte ... vermieden
wir vermieden	wir werden ... vermeiden	wir hatten ... vermieden
ihr vermiedet	ihr werdet ... vermeiden	ihr hattet ... vermieden
Sie vermieden	Sie werden ... vermeiden	Sie hatten ... vermieden
sie vermieden	sie werden ... vermeiden	sie hatten ... vermieden

verschwinden* - to disappear   verschwinden, verschwand, ist ... verschwunden

Imperativ *Imperative*	*Präsens* *Present*	*Perfekt* *Perfect*
verschwinde!	ich verschwinde du verschwindest er/sie/es/man verschwindet	ich bin ... verschwunden du bist ... verschwunden er/sie/es/man ist ... verschwunden
verschwinden wir! verschwindet! verschwinden Sie!	wir verschwinden ihr verschwindet Sie verschwinden sie verschwinden	wir sind ... verschwunden ihr seid ... verschwunden Sie sind ... verschwunden sie sind ... verschwunden
Imperfekt *Imperfect*	*Futur* *Future*	*Plusquamperfekt* *Pluperfect*
ich verschwand du verschwandst er/sie verschwand es/man verschwand wir verschwanden ihr verschwandet Sie verschwanden sie verschwanden	ich werde ... verschwinden du wirst ... verschwinden er/sie wird ... verschwinden es/man wird ... verschwinden wir werden ... verschwinden ihr werdet ... verschwinden Sie werden ... verschwinden sie werden ... verschwinden	ich war ... verschwunden du warst ... verschwunden er/sie war ... verschwunden es/man war ... verschwunden wir waren ... verschwunden ihr wart ... verschwunden Sie waren ... verschwunden sie waren ... verschwunden

verzeihen - to forgive   verzeihen, verzeiht, verzieh, hat ... verziehen

Imperativ *Imperative*	*Präsens* *Present*	*Perfekt* *Perfect*
verzeihe!	ich verzeihe du verzeihst er/sie/es/man verzeiht	ich habe ... verziehen du hast ... verziehen er/sie/es/man hat ... verziehen
verzeihen wir! verzeiht! verzeihen Sie!	wir verzeihen ihr verzeiht Sie verzeihen sie verzeihen	wir haben ... verziehen ihr habt ... verziehen Sie haben ... verziehen sie haben ... verziehen
Imperfekt *Imperfect*	*Futur* *Future*	*Plusquamperfekt* *Pluperfect*
ich verzieh du verziehst er/sie/es/man verzieh wir verziehen ihr verzieht Sie verziehen sie verziehen	ich werde ... verzeihen du wirst ... verzeihen er/sie/es/man wird ... verzeihen wir werden ... verzeihen ihr werdet ... verzeihen Sie werden ... verzeihen sie werden ... verzeihen	ich hatte ... verziehen du hattest ... verziehen er/sie/es/man hatte ... verziehen wir hatten ... verziehen ihr hattet ... verziehen Sie hatten ... verziehen sie hatten ... verziehen

wachsen* - to grow		wachsen, wächst, wuchs, ist ... gewachsen
Imperativ *Imperative*	***Präsens*** *Present*	***Perfekt*** *Perfect*
	ich wachse	ich bin ... gewachsen
wachse!	du wächst	du bist ... gewachsen
	er/sie/es/man wächst	er/sie/es/man ist ... gewachsen
wachsen wir!	wir wachsen	wir sind ... gewachsen
wachst!	ihr wachst	ihr seid ... gewachsen
wachsen Sie!	Sie wachsen	Sie sind ... gewachsen
	sie wachsen	sie sind ... gewachsen
Imperfekt *Imperfect*	***Futur*** *Future*	***Plusquamperfekt*** *Pluperfect*
ich wuchs	ich werde ... wachsen	ich war ... gewachsen
du wuchsest	du wirst ... wachsen	du warst ... gewachsen
er/sie/es/man wuchs	er/sie/es/man wird ... wachsen	er/sie/es/man war ... gewachsen
wir wuchsen	wir werden ... wachsen	wir waren ... gewachsen
ihr wuchst	ihr werdet ... wachsen	ihr wart ... gewachsen
Sie wuchsen	Sie werden ... wachsen	Sie waren ... gewachsen
sie wuchsen	sie werden ... wachsen	sie waren ... gewachsen

Also: aufwachsen*

waschen - to wash		waschen, wäscht, wusch, hat ... gewaschen
Imperativ *Imperative*	***Präsens*** *Present*	***Perfekt*** *Perfect*
	ich wasche	ich habe ... gewaschen
wasche!	du wäschst	du hast ... gewaschen
	er/sie/es/man wäscht	er/sie/es/man hat ... gewaschen
waschen wir!	wir waschen	wir haben ... gewaschen
wascht!	ihr wascht	ihr habt ... gewaschen
waschen Sie!	Sie waschen	Sie haben ... gewaschen
	sie waschen	sie haben ... gewaschen
Imperfekt *Imperfect*	***Futur*** *Future*	***Plusquamperfekt*** *Pluperfect*
ich wusch	ich werde ... waschen	ich hatte ... gewaschen
du wuschest	du wirst ... waschen	du hattest ... gewaschen
er/sie/es/man wusch	er/sie/es/man wird ... waschen	er/sie/es/man hatte ... gewaschen
wir wuschen	wir werden ... waschen	wir hatten ... gewaschen
ihr wuscht	ihr werdet ... waschen	ihr hattet ... gewaschen
Sie wuschen	Sie werden ... waschen	Sie hatten ... gewaschen
sie wuschen	sie werden ... waschen	sie hatten ... gewaschen

Also: abwaschen, sich waschen

werben - to advertise		werben, wirbt, warb, hat … geworben
Imperativ *Imperative*	*Präsens* *Present*	*Perfekt* *Perfect*
	ich werbe	ich habe … geworben
wirb!	du wirbst	du hast … geworben
	er/sie/es/man wirbt	er/sie/es/man hat … geworben
werben wir!	wir werben	wir haben … geworben
werbt!	ihr werbt	ihr habt … geworben
werben Sie!	Sie werben	Sie haben … geworben
	sie werben	sie haben … geworben
Imperfekt *Imperfect*	*Futur* *Future*	*Plusquamperfekt* *Pluperfect*
ich warb	ich werde … werben	ich hatte … geworben
du warbst	du wirst … werben	du hattest … geworben
er/sie/es/man warb	er/sie/es/man wird. … werben	er/sie/es/man hatte … geworben
wir warbcn	wir werden … werben	wir hatten … geworben
ihr warbt	ihr werdet … werben	ihr hattet … geworben
Sie warben	Sie werden … werben	Sie hatten … geworben
sie warben	sie werden … werben	sie hatten … geworben

Also (with no ge- in the past participle): sich bewerben

werden* - to become		werden, wird, wurde, ist … geworden
Imperativ *Imperative*	*Präsens* *Present*	*Perfekt* *Perfect*
	ich werde	ich bin … geworden
werde!	du wirst	du bist … geworden
	er/sie/es/man wird	er/sie/es/man ist … geworden
werden wir!	wir werden	wir sind … geworden
werdet!	ihr werdet	ihr seid … geworden
werden Sie!	Sie werden	Sie sind … geworden
	sie werden	sie sind … geworden
Imperfekt *Imperfect*	*Futur* *Future*	*Plusquamperfekt* *Pluperfect*
ich wurde	ich werde … werden	ich war … geworden
du wurdest	du wirst … werden	du warst … geworden
er/sie/es/man wurde	er/sie/es/man wird … werden	er/sie/es/man war … geworden
wir wurden	wir wcrden … werden	wir waren … geworden
ihr wurdet	ihr werdet … werden	ihr wart … geworden
Sie wurden	Sie werden … werden	Sie waren … geworden
sie wurden	sie werden … werden	sie waren … geworden

Note there is **no** Umlaut in the imperfect. For the conditional **würde** see page 3.

werfen - to throw		werfen, wirft, warf, hat ... geworfen
Imperativ *Imperative*	*Präsens* *Present*	*Perfekt* *Perfect*
	ich werfe	ich habe ... geworfen
wirf!	du wirfst	du hast ... geworfen
	er/sie/es/man wirft	er/sie/es/man hat ... geworfen
werfen wir!	wir werfen	wir haben ... geworfen
werft!	ihr werft	ihr habt ... geworfen
werfen Sie!	Sie werfen	Sie haben ... geworfen
	sie werfen	sie haben ... geworfen
Imperfekt *Imperfect*	*Futur* *Future*	*Plusquamperfekt* *Pluperfect*
ich warf	ich werde ... werfen	ich hatte ... geworfen
du warfst	du wirst ... werfen	du hattest ... geworfen
er/sie/es/man warf	er/sie/es/man wird. ... werfen	er/sie/es/man hatte ... geworfen
wir warfen	wir werden ... werfen	wir hatten ... geworfen
ihr warft	ihr werdet ... werfen	ihr hattet ... geworfen
Sie warfen	Sie werden ... werfen	Sie hatten ... geworfen
sie warfen	sie werden ... werfen	sie hatten ... geworfen

Also: einwerfen, **vor**werfen, **weg**werfen

wiegen - to weigh		wiegen, wiegt, wog, hat ... gewogen
Imperativ *Imperative*	*Präsens* *Present*	*Perfekt* *Perfect*
	ich wiege	ich habe ... gewogen
wiege!	du wiegst	du hast ... gewogen
	er/sie/es/man wiegt	er/sie/es/man hat ... gewogen
wiegen wir!	wir wiegen	wir haben ... gewogen
wiegt!	ihr wiegt	ihr habt ... gewogen
wiegen Sie!	Sie wiegen	Sie haben ... gewogen
	sie wiegen	sie haben ... gewogen
Imperfekt *Imperfect*	*Futur* *Future*	*Plusquamperfekt* *Pluperfect*
ich wog	ich werde ... wiegen	ich hatte ... gewogen
du wogst	du wirst ... wiegen	du hattest ... gewogen
er/sie/es/man wog	er/sie/es/man wird ... wiegen	er/sie/es/man hatte ... gewogen
wir wogen	wir werden ... wiegen	wir hatten ... gewogen
ihr wogt	ihr werdet ... wiegen	ihr hattet ... gewogen
Sie wogen	Sie werden ... wiegen	Sie hatten ... gewogen
sie wogen	sie werden ... wiegen	sie hatten ... gewogen

wissen - to know (a fact)		wissen, weiß, wusste, hat ... gewusst
Imperativ / *Imperative*	*Präsens* / *Present*	*Perfekt* / *Perfect*
	ich **weiß**	ich habe ... gewusst
wisse!	du **weiß**t	du hast ... gewusst
	er/sie/es/man **weiß**	er/sie/es/man hat ... gewusst
wissen wir!	wir wissen	wir haben ... gewusst
wisst!	ihr wisst	ihr habt ... gewusst
wissen Sie!	Sie wissen	Sie haben ... gewusst
	sie wissen	sie haben ... gewusst
Imperfekt / *Imperfect*	*Futur* / *Future*	*Plusquamperfekt* / *Pluperfect*
ich wusste	ich werde ... wissen	ich hatte ... gewusst
du wusstest	du wirst ... wissen	du hattest ... gewusst
er/sie/es/man wusste	er/sie/es/man wird. ... wissen	er/sie/es/man hatte ... gewusst
wir wussten	wir werden ... wissen	wir hatten ... gewusst
ihr wusstet	ihr werdet ... wissen	ihr hattet ... gewusst
Sie wussten	Sie werden ... wissen	Sie hatten ... gewusst
sie wussten	sie werden ... wissen	sie hatten ... gewusst

wollen - to want to	**modal verb**	wollen, will, wollte, hat ... gewollt #
Imperativ / *Imperative - none*	*Präsens* / *Present*	*Perfekt #* / *Perfect*
	ich will	ich habe ... gewollt
Conditional	du willst	du hast ... gewollt
ich wollte	er/sie/es/man will	er/sie/es/man hat ... gewollt
	wir wollen	wir haben ... gewollt
Alternative Perfect	ihr wollt	ihr habt ... gewollt
ich habe es machen	Sie wollen	Sie haben ... gewollt
wollen	sie wollen	sie haben ... gewollt
Imperfekt / *Imperfect*	*Futur* / *Future*	*Plusquamperfekt #* / *Pluperfect*
ich wollte	ich werde ... wollen	ich hatte ... gewollt
du wolltest	du wirst ... wollen	du hattest ... gewollt
er/sie/es/man wollte	er/sie/es/man wird ... wollen	er/sie/es/man hatte ... gewollt
wir wollten	wir werden ... wollen	wir hatten ... gewollt
ihr wolltet	ihr werdet ... wollen	ihr hattet ... gewollt
Sie wollten	Sie werden ... wollen	Sie hatten ... gewollt
sie wollten	sie werden ... wollen	sie hatten ... gewollt

\# It is advisable to use the **imperfect** of **wollen** in preference to the perfect. See page 8.

ziehen - to pull		ziehen, zieht, zog, hat ... gezogen
Imperativ *Imperative*	*Präsens* *Present*	*Perfekt* *Perfect*
	ich ziehe	ich habe ... gezogen
ziehe!	du ziehst	du hast ... gezogen
	er/sie/es/man zieht	er/sie/es/man hat ... gezogen
ziehen wir!	wir ziehen	wir haben ... gezogen
zieht!	ihr zieht	ihr habt ... gezogen
ziehen Sie!	Sie ziehen	Sie haben ... gezogen
	sie ziehen	sie haben ... gezogen
Imperfekt *Imperfect*	*Futur* *Future*	*Plusquamperfekt* *Pluperfect*
ich zog	ich werde ... ziehen	ich hatte ... gezogen
du zogst	du wirst ... ziehen	du hattest ... gezogen
er/sie/es/man zog	er/sie/es/man wird. ... ziehen	er/sie/es/man hatte ... gezogen
wir zogen	wir werden ... ziehen	wir hatten ... gezogen
ihr zogt	ihr werdet ... ziehen	ihr hattet ... gezogen
Sie zogen	Sie werden ... ziehen	Sie hatten ... gezogen
sie zogen	sie werden ... ziehen	sie hatten ... gezogen

Also: **an**ziehen, sich **an**ziehen, sich **aus**ziehen, sich **um**ziehen

With sein: **aus**ziehen* **ein**ziehen*, **um**ziehen*

zwingen - to force		zwingen, zwingt, zwang, hat ... gezwungen
Imperativ *Imperative*	*Präsens* *Present*	*Perfekt* *Perfect*
	ich zwinge	ich habe ... gezwungen
zwing!	du zwingst	du hast ... gezwungen
	er/sie/es/man zwingt	er/sie/es/man hat ... gezwungen
zwingen wir!	wir zwingen	wir haben ... gezwungen
zwingt!	ihr zwingt	ihr habt ... gezwungen
zwingen Sie!	Sie zwingen	Sie haben ... gezwungen
	sie zwingen	sie haben ... gezwungen
Imperfekt *Imperfect*	*Futur* *Future*	*Plusquamperfekt* *Pluperfect*
ich zwang	ich werde ... zwingen	ich hatte ... gezwungen
du zwangst	du wirst ... zwingen	du hattest ... gezwungen
er/sie/es/man zwang	er/sie/es/man wird ... zwingen	er/sie/es/man hatte ... gezwungen
wir zwangen	wir werden ... zwingen	wir hatten ... gezwungen
ihr zwangt	ihr werdet ... zwingen	ihr hattet ... gezwungen
Sie zwangen	Sie werden ... zwingen	Sie hatten ... gezwungen
sie zwangen	sie werden ... zwingen	sie hatten ... gezwungen

SECTION 5 - GERMAN - ENGLISH INDEX

Pattern verbs are found as follows:

Regular verbs -	page 12	Irregular verbs -	pages 22-75
Verbs ending in **-ieren** -	page 14	Reflexive verbs -	page 21
Verbs ending in **-sen**, etc -	page 17	Separable verbs -	page 19
Verbs ending in **-ten**, etc -	page 18	Inseparable verbs -	page 20

Verbs with inseparable prefixes - pages 15-16
Italic page references give additional information. English tense meanings pages 6-7
* verb takes **sein**   s. = sich   s.o. = someone   sthg = something

abbiegen*	to turn off (road)............24	**an**kommen*	to arrive 19, 41
abbrechen	to break off.....................27	**an**kreuzen	to tick (box)...................17
abbrennen(*)	to burn (down)................27	**an**machen	to turn on 19
abfahren*	to depart, to leave.....19, 30	**an**melden	to register......................18
abfliegen*	to take off (plane)...........32	**an**nehmen	to assume, to accept........47
abgeben	to give away, to give off.33	**an**probieren	to try on (clothes) 14
abgehen*	to leave (school).............34	**an**rufen	to phone...................19, 51
abhängen	to depend on............*10*, 39	**an**schreien	to shout at 56
abhauen*	to clear off, to get lost 19	**an**sehen	to look at.......................57
abholen	to fetch, to pick up 19	**an**sprechen	to talk to 60
ablehnen	to reject...........................19	**an**springen(*)	to start (engine)..............61
abnehmen	to slim, to wane (moon).47	**an**stoßen	to bump, to drink to........64
abräumen	to clear away 19	**an**streichen	to paint (house)..............65
abreißen	to tear off (paper) 49	antworten	to answer *9*, 18
abschließen	to lock.............................54	**an**ziehen	to attract........................75
abschneiden	to cut off.........................55	sich **an**ziehen	to get dressed......19, 21, 75
abschreiben	to copy (cheat)................55	**an**zünden	to ignite 18
abtrocknen	to dry dishes 18	arbeiten	to work 18
abwaschen	to wash up 71	ärgern	to annoy s.o. 13
achten	to respect 18	sich ärgern	to get annoyed *10*, 21
addieren	to add (numbers) 14	arrangieren	to arrange.......................14
adoptieren	to adopt...........................14	atmen	to breathe.......................18
ähneln	to resemble.................*9*, 13	**auf**binden	to bind 25
akzeptieren	to accept 14	**auf**brechen*	to set off 27
sich amüsieren	to have a good time........14	**auf**brechen	to break open.................27
anbauen	to extend, to cultivate 19	**auf**essen	to eat up.........................30
anbieten	to offer............................24	**auf**fallen*	to get noticed.................31
anbrennen	to burn (food) 27	**auf**fangen	to catch 31
ändern	to change 13	**auf**geben	to give up........................33
anerkennen	to recognise 41	**auf**gehen*	to go up, to rise (sun)......34
anfahren*	to set off 30	**auf**halten	to hold up 38
anfangen	to begin....................19, 31	sich **auf**halten	to stay somewhere 38
anfassen	to grasp....................19, 17	**auf**heben	to keep 39
angeben	to show off 33	**auf**hören	to stop doing sthg *10*, 19
angeln	to fish (rod) 13	**auf**machen	to open...........................19
angreifen	to attack..........................37	**auf**passen	to pay attention 19
anhaben	to be wearing (clothes)...38	**auf**räumen	to tidy up 19

aufschließen	to unlock	54
aufstehen*	to get up	19, 62
aufwachen*	to wake up	19
aufwachsen*	to grow up	71
ausfüllen	to fill in (form)	19
ausgeben	to spend (money)	19, 33
ausgehen*	to go out	19, 34
aushalten	to endure, put up with	38
auskommen*	to get on with, manage	41
ausladen	to tell s.o. not to come	42
ausleihen	to lend out, to borrow	44
ausmachen	to switch off, to agree	19
ausnehmen	to make an exception	47
auspacken	to unpack	19
ausrufen	to call out	51
sich **aus**ruhen	to rest	21
ausschalten	to switch off	18
ausschlafen	to have a lie in	53
ausstehen	to stand s.o (like)	62
aussteigen*	to get off (bus)	19, 63
aussterben*	to die out	63
ausziehen*	to move out	75
sich **aus**ziehen	to get undressed	19, 75
backen	to bake	22
(sich) baden	to bathe, to bath	18
basteln	to do craft work, DIY	13
bauen	to build	12
beachten	to respect (rules)	16
beantworten	to answer questions	16, 18
sich bedanken	to thank s.o.	15, 21
bedauern	to regret	15
bedeuten	to mean	15
(sich) bedienen	to serve (oneself)	15
bedrohen	to threaten	15
sich beeilen	to hurry up	15, 21
beeindrucken	to impress	15
beenden	to end (doing sthg)	16
befehlen	to command, to order	22
sich befinden	to be situated	21, 32
begegnen*	to meet s.o.	9, 16, 18
begehen	to commit (crime)	34
begießen	to water	17, 36
beginnen	to begin	*8*, 23
begleiten	to accompany	16
begreifen	to understand	37
begrüßen	to greet	16, 17
behalten	to retain, to keep	38
behandeln	to treat	15
behaupten	to maintain, to say	16
beißen	to bite	*17*, 23
beitragen	to contribute to	*10*, 66
sich beklagen	to complain	15
bekommen	to get, to receive	*8*, 16, 41
beleidigen	to insult	15
bellen	to bark	13
bemerken	to remark, to notice	15
sich benehmen	to behave	47
benutzen	to use	16, 17
beobachten	to observe	16
sich beruhigen	to calm down	15
berühren	to touch	15
sich beschäftigen	to be busy	*10*, 15
beschließen	to decide	16, 17, 54
beschreiben	to describe	16, 55
sich beschweren	to complain	15
besichtigen	to visit (castle)	15
besitzen	to possess	59
besorgen	to obtain	15
besprechen	to discuss	60
bestätigen	to confirm	15
bestehen	to consist of, insist	*10*, 62
besteigen*	to climb (hill)	63
bestellen	to order (drink)	15
bestrafen	to punish	15
besuchen	to visit (person, place)	15
betreten	to enter (building)	67
betrinken	to get drunk	68
sich bewegen	to move	15
sich bewerben	to apply (for job)	*10*, 72
bewundern	to admire	15
bezahlen	to pay for	15
biegen	to bend	24
bieten	to offer	*18*, 24
binden	to tie	*18*, 25
bitten	to ask	*10*, *18*, 25
bleiben*	to stay	*1*, *8*, *9*, 26
blicken	to glance, to look	*10*, 12
blitzen	to flash (lightning)	17
bluten	to bleed	18
braten	to fry, to roast	26
brauchen	to need, to use	*8*, 12
brechen	to break	27
bremsen	to brake	17
brennen	to burn	27
bringen	to bring	28
buchen	to book	13
buchstabieren	to spell	14
bügeln	to iron	13
bummeln*	to stroll (aimlessly)	13
bürsten	to brush	18

campen	to camp	12
danken	to thank	*9, 10*, 12
dauern	to last	12
decken	to lay (table), to cover	12
demonstrieren	to demonstrate	14
denken	to think	*10*, 28
dienen	to serve	13
diskutieren	to discuss	14
dolmetschen	to interpret, translate	13
donnern	to thunder	13
drehen	to turn	13
drucken	to print	13
drücken	to push (door)	13
durchsuchen	to search	20
dürfen	to be allowed to	*2, 8*, 29
sich duschen	to shower	21
sich duzen	to call "du"	17, 21
eilen*	to hurry	13
einbiegen*	to turn into (road)	24
einkaufen	to shop, to buy	*8*, 19
einladen	to invite	*10*, 19, 42
einpacken	to pack	19
einschalten	to switch on	18
einschlafen*	to go to sleep	19, 53
einschließen	to lock in, to include	54
einsteigen*	to get on (bus)	19, 63
eintragen	to enter (in book)	66
eintreten*	to enter (house)	67
einwerfen	to post (letter)	73
einziehen*	to move in	75
empfehlen	to recommend	*8*, 16, 22
empfinden	to feel, to sense	32
entdecken	to discover	15
entfernen	to remove	15
enthalten	to contain	38
entkommen*	to escape	41
sich entschließen	to decide	21, 54
s. entschuldigen	to say sorry	15, 21
sich entspannen	to relax	15
entwerten	to date stamp (ticket)	16
entwickeln	to develop	15
erfinden	to invent	32
erfrieren*	to freeze to death	33
ergänzen	to complete (form)	16, 17
erhalten	to receive	38
sich erholen	to recover	*10*, 16
sich erinnern	to remember	*10*, 16
sich erkälten	to catch a cold	16, 21
erkennen	to recognise	41
erklären	to explain	16
sich erkundigen	to enquire	*10*, 16
erlauben	to allow	16
erreichen	to reach (place)	16
erscheinen*	to appear	51
erschießen	to shoot dead	52
erschrecken*	to be terrified	*16*, 29
erschrecken	to frighten	*16*, 29
ersetzen	to replace	16, 17
erstaunen	to astound	16
ertrinken	to drown	68
erwähnen	to mention	16
erwarten	to expect	16
erzählen	to tell (story)	16
essen	to eat	*17*, 30
existieren	to exist	14
fahren*	to travel, drive	*1, 8*, 19, 30
fahren	to drive (car)	*2*, 30
fallen*	to fall	31
falten	to fold	18
fangen	to catch	31
fassen	to hold, understand	17
faulenzen	to laze about	17
faxen	to fax	13
fehlen	to lack, to be absent	*10*, 12
feiern	to celebrate, to party	12
fernsehen	to watch TV	57
festhalten	to hold on (to)	38
finden	to find	*18*, 32
fischen	to fish	13
fliegen(*)	to fly	32
flüstern	to whisper	13
folgen*	to follow	*9*, 12
fortsetzen	to continue	19
fotografieren	to photograph	14
fotokopieren	to photocopy	14
fragen	to ask	10, 12
sich fragen	to wonder	21
fressen	to eat (of an animal)	30
sich freuen auf	to look forward to	*10*, 21
sich freuen über	to be pleased about	*10*, 21
frieren	to freeze	*11*, 33
frühstücken	to eat breakfast	12
(sich) fühlen	to feel (mood)	*8*, 21, 13
führen	to lead	13
füllen	to fill	13
funktionieren	to function, to work	14
füttern	to feed (animal)	13
geben	to give	*2, 11*, 33
gebrauchen	to use	16
gefallen	to please	*11*, 31

gehen*	to go, to walk	*2*, *8*, 34
gehorchen	to obey	16
gehören	to belong to	*9*, *10*, 16
gelingen	to succeed	*11*, *16*, 34
genießen	to enjoy	*16*, 35
geschehen*	to happen	*9*, *11*, *16*, 35
gewinnen	to win	*16*, 36
sich gewöhnen	to get used to	*10*, 16
gießen	to pour	36
glauben	to believe	12
gleichen	to equal	*9*, 37
gratulieren	to congratulate	14
greifen	to grasp	37
grillen	to grill, barbecue	13
grinsen	to grin	17
grüßen	to greet	17
gucken	to look	12
haben	to have	*1*, *2*, *3*, *10*, 38
hageln	to hail (weather)	13
halten	to stop, to hold	*10*, 38
handeln	to act, to negotiate	13
hängen	to hang	39
hassen	to hate	17
heben	to lift	39
heiraten	to marry s.o.	18
heißen	to be called	*9*, *17*, 40
heizen	to heat	17
helfen	to help	*9*, 40
hinaufgehen*	to go up	34
hinaufsteigen*	to climb up	63
hineingehen*	to go in	19, 34
hinfallen*	to fall down	31
sich **hin**legen	to lie down	21
sich **hin**setzen	to sit down	17, 19, 21
hinuntergehen*	to go down	34
hinuntersteigen*	to climb down	63
hinzufügen	to add (to statement)	19
hoffen	to hope	*8*, 12
holen	to fetch	12
hören	to hear	*8*, 12
hupen	to blow horn	13
husten	to cough	18
informatisieren	to convert to IT	14
informieren	to inform	*10*, 14
installieren	to install	14
sich interessieren	to be interested	*10*, 14, 21
jagen	to hunt	13
joggen	to jog	13
sich kämmen	to comb one's hair	21
kämpfen	to fight	13
kapieren	to understand	14
kaufen	to buy, purchase	*2*, *8*, *9*, 12
kegeln	to bowl	13
kennen	to know (person, place)	41
kichern	to giggle	13
klauen (slang)	to steal	13
klettern	to climb	13
klingeln	to ring (doorbell)	*11*, 12
klopfen	to knock	12
kochen	to cook, to boil	12
kommen*	to come	*2*, *8*, *10*, 41
können	to be able to, can	*2*, *8*, 42
kontrollieren	to check	14
s. konzentrieren	to concentrate	10, 14
kopieren	to copy	14
korrigieren	to correct, to mark	14
kosten	to cost	18
kriegen (slang)	to get	12
sich kümmern	to look after	*10*, 21
küssen	to kiss	17
lächeln	to smile	12
lachen	to laugh	12
laden	to load	42
landen*	to land	18
sich langweilen	to be bored	21
lassen	to leave	*8*, *17*, 43
laufen*	to run, to walk	43
leben	to live	13
leeren	to empty	13
legen	to lay down, to put	12
leiden	to suffer	*18*, 44
leihen	to lend	44
sich leisten	to afford	18
lernen	to learn	12
lesen	to read	*10*, *17*, 45
lieben	to love	12
liefern	to deliver	13
liegen	to lie	45
loben	to praise	13
sich lohnen	to be worth it	11
lösen	to solve, dissolve	13
loslaufen*	to run off	43
machen	to do, to make	*2*, 12
mähen	to mow	13
malen	to paint (picture)	13
meinen	to say, have the opinion	12
merken	to notice	12
messen	to measure	*17*, 46
mieten	to rent	18
mischen	to mix	13

mitbekommen	to catch on, understand ..41
mitessen	to eat with others 30
mitfahren*	to travel with others 30
mitgehen*	to go with others.............34
mitkommen*	to come with others........41
mitnehmen	to take with...............*19*, 47
mitteilen	to inform........................19
modernisieren	to modernise..................14
mogeln	to cheat..........................13
mögen	to like *2, 8*, 46
müssen	to have to...............*2, 8*, 47
nachsitzen	to do detention...............59
nähen	to sew 13
sich nähern	to approach.....................21
nehmen	to take............................47
nennen	to name..........................48
nerven	to get on s.o.'s nerves 13
niesen	to sneeze.......................17
notieren	to note...........................14
öffnen	to open...........................18
operieren	to operate (medical) 14
ordnen	to put in order.................18
organisieren	to organise.....................14
packen	to pack...........................12
parken	to park 12
passen	to suit, to fit..........*9, 11*, 17
passieren*	to happen..............*9, 11*, 14
pauken (slang)	to swot...........................13
pendeln*	to commute....................13
pflanzen	to plant 17
pflegen	to care for.....................13
pflücken	to pick (flower) 13
picknicken	to picnic.........................13
planen	to plan...........................13
plaudern	to chat...........................13
probieren	to try (clothes, food).......14
programmieren	to program.....................14
protestieren	to protest.......................14
prüfen	to examine, to test 13
putzen	to clean 17
quatschen	to chatter......................13
Rad fahren*	to cycle 30
sich rasieren	to shave 14
raten	to advise *8, 9*, 48
rauchen	to smoke.......................13
reagieren	to react..........................14
rechnen	to calculate 18
reden	to talk, to speak *10*, 18
reduzieren	to reduce........................14
regnen	to rain *11*, 18

reiben	to rub 49
reichen	to be sufficient, pass.*11*, 12
reinigen	to clean 13
reisen*	to travel 17
reißen	to tear.......................*17*, 49
reiten(*)	to ride (horse)..........*18*, 50
reizen	to delight, to annoy.........17
reparieren	to repair 14
reservieren	to reserve 14
retten	to rescue *10*, 18
riechen	to smell...................*10*, 50
rudern	to row (boat)...................13
rufen	to call....................*2, 10*, 51
sagen	to say 12
sammeln	to collect........................12
schaden	to damage *9*, 18
schaffen	to achieve 13
schälen	to peel 13
schalten	to switch 18
sich schämen	to be ashamed...........*10*, 21
schätzen	to guess, to value 17
schauen	to look 12
scheinen	to shine, to seem.*2, 8, 9*, 51
schenken	to give a present 12
schicken	to send *8*, 12
schieben	to push 52
schießen	to shoot....................*17*, 52
schlafen	to sleep *3, 8*, 53
schlagen	to hit 53
schleichen	to creep 54
schlendern*	to stroll 13
schleppen	to drag, tow....................13
schließen	to close 54
schmecken	to taste *10, 11*, 12
schmieren	to spread (butter)............13
sich schminken	to put on make-up 21
schmuggeln	to smuggle 13
schneiden	to cut..........................*18*, 55
schneien	to snow 12
schnurren	to purr............................13
schreiben	to write *1, 2, 10*, 55
schreien	to shout..........................56
schützen	to protect *10*, 17
schwänzen	to truant 17
schwärmen	to be keen on 13
schweigen	to be silent, say nothing..56
schwimmen*	to swim 57
schwimmen	to swim (across) 57
segeln	to sail 13
sehen	to see *2, 8*, 57

sein*	to be *1, 2, 9*, 58	
sich setzen	to sit down.................21	
setzen	to put 18	
singen	to sing..........................58	
sinken*	to sink..........................59	
sitzen	to sit 59	
Ski fahren*	to ski.............................30	
sollen	to ought to............*2, 8,* 60	
sich sonnen	to sunbathe...................21	
sorgen	to care for..............*10,* 13	
sparen	to save (money).............12	
spazieren gehen*	to go for a walk.............34	
speichern	to save (IT)....................13	
spielen	to play *1, 2, 6, 7, 8,* 12	
sprechen	to talk, to speak........*10*, 60	
springen*	to jump..........................61	
spritzen	to inject, to spray............17	
spülen	to wash up.....................12	
spüren	to feel sthg.................*8,* 13	
starten*	to set off.......................18	
stattfinden	to take place 19	
Staub saugen	to vacuum.....................13	
stechen	to sting, to stab..............61	
stecken	to put (into sthg)............12	
stehen	to stand.....................*2,* 62	
stehlen	to steal...........................62	
steigen*	to climb.........................63	
stellen	to put (upright)...............12	
sterben*	to die 63	
stimmen	to be right......................13	
stinken	to smell bad...................64	
stören	to disturb.......................13	
(sich) stoßen	to bump, to push *17*, 21, 64	
streichen	to cancel, paint, stroke ...65	
streiken	to strike 13	
(sich) streiten	to argue *10, 18,* 21, 65	
studieren	to study (at uni).............14	
suchen	to look for *10,* 12	
surfen	to surf............................12	
tanken	to fill with petrol 12	
tanzen	to dance.........................17	
tapezieren	to wallpaper 14	
tauchen*	to dive 13	
tauschen	to exchange 13	
täuschen	to deceive......................13	
teilen	to divide 12	
teilnehmen	to take part *10,* 47	
telefonieren	to phone *10,* 14	
tolerieren	to tolerate 14	
töten	to kill 18	
tragen	to wear, to carry *2,* 66	
trainieren	to train 14	
trauen	to trust 13	
träumen	to dream *10,* 13	
(sich) treffen	to meet....................21, 66	
treiben	to do (sport)...................67	
(sich) trennen	to separate 12, 21	
treten(*)	to kick, (to step*) 67	
trimmen	to keep fit 13	
trinken	to drink...........................68	
trocknen	to dry 18	
tun	to do *2, 11,* 68	
turnen	to do gymnastics.............13	
üben	to practise 12	
überfahren	to run over................20, 30	
überfallen	to attack (bank) 31	
sich übergeben	to be sick (vomit)...........33	
übernachten	to spend the night...........20	
überqueren	to cross (road) 20	
überraschen	to surprise......................20	
überreden	to persuade.....................20	
übersetzen	to translate.....................20	
übertreiben	to exaggerate 20, 67	
überwachen	to supervise 20	
überzeugen	to convince.....................10	
umbringen	to kill 28	
sich **um**drehen	to turn round..................21	
umgeben	to surround 20, 33	
umsteigen*	to change (bus).........19, 63	
sich **um**ziehen	to get changed 75	
umziehen*	to move house 19, 75	
unterbrechen	to interrupt.....................20	
sich unterhalten	to talk *10,* 20, 38	
unterrichten	to teach 20	
unterschreiben	to sign............................20	
unterstützen	to support 20	
untersuchen	to investigate, examine...20	
sich verabreden	to arrange to meet.....18, 21	
s. verabschieden	to say goodbye...............21	
verändern	to change 16	
veranlassen	to cause to happen....*10,* 16	
verbessern	to correct 16	
verbieten	to forbid..................*16,* 24	
verbinden	to bandage 25	
verbrennen	to burn 27	
verbringen	to spend (time) *16,* 28	
verdächtigen	to suspect s.o. 16	
verdienen	to earn............................15	
vereinigen	to unite 16	
sich verfahren	to take a wrong turn .21, 30	

verfallen*	to fall into ruins 31	
vergessen	to forget................8, 16, 30	
vergleichen	to compare.........10, 16, 37	
verhaften	to arrest.....................16, 18	
verhindern	to prevent 16	
verkaufen	to sell.......................15, 16	
verlangen	to demand.......................16	
verlassen	to leave (house) ..16, 17, 43	
sich verlassen	to rely on 10, 16, 17, 43	
sich verlaufen	to take wrong turn 21, 43	
verleihen	to lend out 44	
verletzen	to injure 16, 17	
verlieren	to lose.......................16, 69	
vermeiden	to avoid...............16, 18, 69	
vermissen	to miss s.o. 16, 17	
verpassen	to miss (bus)............16, 17	
verreisen*	to go away on hols ...16, 17	
verrenken	to twist (ankle) 16	
(s.) verschlafen	to oversleep 53	
verschreiben	to prescribe....................55	
verschwenden	to waste 16, 18	
verschwinden*	to disappear 16, 18, 70	
versichern	to insure.........................16	
sich verspäten	to be late 16, 18	
versprechen	to promise........,,8, 16, 60	
verstauchen	to twist (ankle) 16	
verstecken	to hide............................16	
verstehen	to understand........4, 16, 62	
sich verstehen	to get on with s.o......21, 62	
versuchen	to try 16	
sich vertragen	to make up (quarrel).......66	
vertreten	to represent.....................67	
verursachen	to cause.........................16	
verzeihen	to forgive.................9, 70	
vollenden	to complete, to finish......18	
vorbereiten	to prepare 18, 19	
vorhaben	to intend 8, 19, 38	
vorlesen	to read aloud............19, 45	
vorschlagen	to suggest 19, 53	
sich vorstellen	to introduce oneself........21	
vorstellen	to imagine......................19	
vorwerfen	to reproach 73	
vorziehen	to prefer........................19	
wachsen*	to grow 71	
wagen	to dare...........................13	
wählen	to choose, elect..............13	
wandern*	to hike............................12	
warnen	to warn 10, 12	
warten	to wait.....................10, 18	
(sich) waschen	to wash 21, 71	
wechseln	to change 12	
wecken	to wake s.o. up...............12	
wegfahren*	to drive away, off 30	
wegfliegen*	to fly away, off 32	
weggehen*	to go away 34	
wegwerfen	to throw away................73	
wehtun	to hurt.......................9, 68	
sich weigern	to refuse.........................21	
weinen	to weep, cry 13	
sich wenden	to turn to 18	
werben	to advertise 72	
werden*	to become 1, 9, 72	
werfen	to throw 73	
wiederholen	to repeat.........................20	
wiederverwerten	to recycle 18, 20	
wiegen	to weigh.........................73	
windsurfen	to windsurf 13	
winken	to wave 13	
wischen	to wipe............................13	
wissen	to know (fact).............8, 74	
wohnen	to live..........................3, 12	
wollen	to want to................2, 8, 74	
sich wundern	to be astounded.........10, 13	
wünschen	to wish 12	
zahlen	to pay.............................12	
zählen	to count...........................13	
zeichnen	to draw (picture).............18	
zeigen	to show 12	
zelten	to camp (in tent) 18	
zerbrechen	to break (destroy) 27	
zerquetschen	to squash........................16	
zerreißen	to tear up...................16, 49	
zerstören	to destroy 16	
ziehen	to pull 11, 75	
zitieren	to quote..........................14	
zittern	to tremble 13	
zögern	to hesitate 13	
zugeben	to admit 33	
zugreifen	to help oneself (food) 37	
zuhören	to listen to...................9, 19	
zumachen	to close 19	
zunehmen	to put on weight.............47	
zurückkehren*	to come back 19	
zurufen	to call (to s.o.) 51	
zusammenstoßen	to collide................10, 64	
zuschauen	to look at, to watch.........19	
zuschließen	to close, to lock 54	
zusehen	to look at, to watch.........57	
zweifeln	to doubt 13	
zwingen	to force 75	

SECTION 6 - ENGLISH - GERMAN INDEX

Pattern verbs are found as follows:

Regular verbs -	page 12	Irregular verbs -	pages 22-75
Verbs ending in **-ieren** -	page 14	Reflexive verbs -	page 21
Verbs ending in **-sen**, etc -	page 17	Separable verbs -	page 19
Verbs ending in **-ten**, etc -	page 18	Inseparable verbs -	page 20
Verbs with inseparable prefixes - pages 15-16			

Italic page references give additional information. English tense meanings pages 6-7

* verb takes **sein**   s. = sich   s.o. = someone   sthg = something

to accept	akzeptieren 14
to accept	**an**nehmen 47
to accompany	begleiten 16
to achieve	schaffen 13
to act	handeln 13
to add (statement)	**hinzu**fügen 19
to add (numbers)	addieren 14
to admire	bewundern 15
to admit	**zu**geben 33
to adopt	adoptieren 14
to advertise	werben 72
to advise	raten *8, 9,* 48
to afford	sich leisten 18
to agree	**aus**machen 19
to allow	erlauben 16
to annoy s.o.	ärgern 13
to annoy	reizen 17
to answer questions	beantworten 16, 18
to answer	antworten *9,* 18
to appear	erscheinen* 51
to apply (for job)	sich bewerben 10, 72
to approach	sich nähern 21
to argue	(sich) streiten . *10,* 21, 65
to arrange to meet	sich verabreden 18, 21
to arrange	arrangieren 14
to arrest	verhaften 16, 18
to arrive	**an**kommen* 19, 41
to ask	fragen 10, 12, 21
to ask	bitten *10, 18,* 25
to assume	**an**nehmen 47
to astound	erstaunen 16
to attack (bank)	überfallen 31
to attack	**an**greifen 37
to attract	**an**ziehen 75
to avoid	vermeiden *16, 18,* 69
to bake	backen 22
to bandage	verbinden 25
to barbecue	grillen 13
to bark	bellen 13
to bath, to bathe	(sich) baden 18
to be	sein* *1, 2, 9,* 58
to be able to	können *2, 8,* 42
to be absent	fehlen *10,* 12
to be allowed to	dürfen *2, 8,* 29
to be ashamed	sich schämen *10,* 21
to be astounded	sich wundern *10,* 13
to be bored	sich langweilen 21
to be busy	sich beschäftigen . *10,* 15
to be called	heißen *9, 17,* 40
to be interested	sich interessieren . *10,* 14, 21
to be keen on	schwärmen 13
to be late	sich verspäten 16, 18
to be pleased about	sich freuen über ... *10,* 21
to be right	stimmen 13
to be sick (vomit)	sich übergeben 33
to be silent	schweigen 56
to be situated	sich befinden 21, 32
to be sufficient	reichen *11,* 12
to be terrified	erschrecken* *16,* 29
to be wearing (clothes)	**an**haben 38
to be worth it	sich lohnen 11
to become	werden* *1, 9,* 72
to begin	**an**fangen 19, 31
to begin	beginnen *8,* 23
to behave	sich benehmen 47
to believe	glauben 12
to belong to	gehören *9, 10,* 16
to bend	biegen 24
to bind	**auf**binden 25
to bite	beißen *17,* 23
to bleed	bluten 18
to blow horn	hupen 13
to boil	kochen 12
to book	buchen 13

to borrow — ausleihen 44
to bowl — kegeln 13
to brake — bremsen.....................17
to break — brechen.....................27
to break (destroy) — zerbrechen.................27
to break off — abbrechen 27
to break open — aufbrechen.................27
to breathe — atmen 18
to bring — bringen.....................28
to brush — bürsten 18
to build — bauen.....................12
to bump — (sich) stoßen...*17*, 21, 64
to bump into — anstoßen 64
to burn — brennen 27
to burn — verbrennen 27
to burn (down) — abbrennen(*) 27
to burn (food) — anbrennen.................27
to buy — kaufen *2, 8, 9*, 12
to buy (shop) — einkaufen..............*8*, 19
to calculate — rechnen 18
to call — rufen.................*2, 10*, 51
to call "du" — sich duzen...........17, 21
to call (to s.o.) — zurufen.....................51
to call out — ausrufen.....................51
to calm down — sich beruhigen............15
to camp (in tent) — zelten 18
to camp — campen.....................12
can — können *2, 8*, 42
to cancel — streichen....................65
to care for (nurse) — pflegen 13
to care for — sorgen *10*, 13
to carry — tragen *2*, 66
to catch — fangen 31
to catch — auffangen.................31
to catch a cold — sich erkälten.........16, 21
to cause to happen — veranlassen *10*, 16
to cause — verursachen..............16
to celebrate — feiern.........................12
to change (alter) — ändern 13
to change (alter) — verändern 16
to change (swap) — wechseln 12
to change (bus) — umsteigen* 19, 63
to chat — plaudern 13
to chatter — quatschen...................13
to cheat — mogeln 13
to check — kontrollieren 14
to choose — wählen.....................13
to clean — putzen 17
to clean — reinigen 13
to clear off — abhauen* 19

to clear away — abräumen 19
to climb — steigen* 63
to climb — klettern 13
to climb (hill) — besteigen 63
to climb down — hinuntersteigen* 63
to climb up — hinaufsteigen* 63
to close — schließen 54
to close — zumachen....................19
to close (lock) — zuschließen 54
to collect — sammeln.....................12
to collide — zusammenstoßen.*10*, 64
to comb one's hair — sich kämmen 21
to come — kommen* *2, 8, 10*, 41
to come back — zurückkehren* 19
to come with others — mitkommen* 41
to command — befehlen 22
to commit (crime) — begehen.....................34
to commute — pendeln*.....................13
to compare — vergleichen....*10*, 16, 37
to complain — sich beklagen 15
to complain — sich beschweren 15
to complete (form) — ergänzen...............16, 17
to complete (finish) — vollenden 18
to concentrate — sich konzentrieren 10, 14
to confirm — bestätigen 15
to congratulate — gratulieren.................15
to consist of — bestehen *10*, 62
to contain — enthalten.....................38
to continue — fortsetzen.....................19
to contribute to — beitragen *10*, 66
to convert to IT — informatisieren...........14
to convince — überzeugen.................10
to cook — kochen.....................12
to copy — kopieren 14
to copy (cheat) — abschreiben................55
to correct — korrigieren.................14
to correct — verbessern 16
to cost — kosten.....................18
to cough — husten.....................18
to count — zählen.....................13
to cover — decken.....................12
to creep — schleichen 54
to cross (road) — überqueren 20
to cry — weinen.....................13
to cultivate — anbauen 19
to cut — schneiden *18*, 55
to cut off — abschneiden.............55
to cycle — Rad fahren*.................30
to damage — schaden 9, 18
to dance — tanzen.....................17

to dare	wagen	13
to date stamp	entwerten	16
to deceive	täuschen	13
to decide	beschließen	16, 17, 54
to decide	sich entschließen	21, 54
to delight	reizen	17
to deliver	liefern	13
to demand	verlangen	16
to demonstrate	demonstrieren	14
to depart	**ab**fahren*	19, 30
to depend on	**ab**hängen	*10*, 39
to describe	beschreiben	16, 55
to destroy	zerstören	16
to develop	entwickeln	15
to die	sterben*	63
to die out	**aus**sterben*	63
to disappear	verschwinden*	*16*, 70
to discover	entdecken	15
to discuss	besprechen	60
to discuss	diskutieren	14
to dissolve	lösen	13
to disturb	stören	13
to dive	tauchen*	13
to divide	teilen	12
to do	machen	*2*, 12
to do	tun	*2*, *11*, 68
to do (sport)	treiben	67
to do craft work, DIY	basteln	13
to do detention	**nach**sitzen	59
to do gymnastics	turnen	13
to doubt	zweifeln	13
to drag	schleppen	13
to draw (picture)	zeichnen	18
to dream	träumen	*10*, 13
to drink	trinken	68
to drink to	**an**stoßen	64
to drive	fahren*	*1*, *8*, 19, 30
to drive (car)	fahren	*2*, 30
to drive away, off	**weg**fahren*	30
to drown	ertrinken	68
to dry dishes	**ab**trocknen	18
to dry	trocknen	18
to earn	verdienen	15
to eat	essen	*17*, 30
to eat (of an animal)	fressen	30
to eat breakfast	frühstücken	12
to eat up	**auf**essen	30
to eat with others	**mit**essen	30
to elect	wählen	13
to empty	leeren	13
to end (doing sthg)	beenden	16
to endure	**aus**halten	38
to enjoy	genießen	*16*, 35
to enquire	sich erkundigen	*10*, 16
to enter (building)	betreten	67
to enter (house)	**ein**treten*	67
to enter (in book)	**ein**tragen	66
to equal	gleichen	*9*, 37
to escape	entkommen*	41
to exaggerate	übertreiben	20, 67
to examine (test)	prüfen	13
to examine	untersuchen	20
to exchange	tauschen	13
to exist	existieren	14
to expect	erwarten	16
to explain	erklären	16
to extend	**an**bauen	19
to fall	fallen*	31
to fall down	**hin**fallen*	31
to fall into ruins	verfallen*	31
to fax	faxen	13
to feed (animal)	füttern	13
to feel (mood)	(sich) fühlen	8, 21, 13
to feel (sense)	empfinden	32
to feel sthg	spüren	*8*, 13
to fetch	**ab**holen	19
to fetch	holen	12
to fight	kämpfen	13
to fill	füllen	13
to fill in (form)	**aus**füllen	19
to fill with petrol	tanken	12
to find	finden	*18*, 32
to fish (rod)	angeln	13
to fish	fischen	13
to fit	passen	*9*, *11*, 17
to flash (lightning)	blitzen	17
to fly	fliegen(*)	32
to fly away, off	**weg**fliegen*	32
to fold	falten	18
to follow	folgen*	*9*, 12
to forbid	verbieten	*16*, 24
to force	zwingen	75
to forget	vergessen	*8*, 16, 30
to forgive	verzeihen	*9*, 70
to freeze	frieren	*11*, 33
to freeze to death	erfrieren*	33
to frighten	erschrecken	*16*, 29
to fry	braten	26
to function	funktionieren	14
to get	bekommen	*8*, 16, 41

to get	kriegen (slang) 12	to have the opinion	meinen 12
to get annoyed	sich ärgern *10*, 21	to hear	hören *8*, 12
to get changed	sich **um**ziehen.......... 75	to heat	heizen........................17
to get dressed	sich **an**ziehen.19, 21, 75	to help	helfen *9*, 40
to get drunk	sich betrinken.............68	to help o.s. (food)	**zu**greifen....................37
to get lost	**ab**hauen* 19	to hesitate	zögern 13
to get noticed	**auf**fallen* 31	to hide	verstecken 16
to get off (bus)	**aus**steigen*.........19, 63	to hike	wandern* 12
to get on (bus)	**ein**steigen*..........19, 63	to hit	schlagen 53
to get on s.o.'s nerves	nerven 13	to hold	halten *10*, 38
to get on with s.o.	sich verstehen 21, 62	to hold on (to)	**fest**halten 38
to get on with	**aus**kommen* 41	to hold up	**auf**halten...................38
to get undressed	sich **aus**ziehen 19, 75	to hoover®	Staub saugen 13
to get up	**auf**stehen* 19, 62	to hope	hoffen....................*8*, 12
to get used to	sich gewöhnen *10*, 16	to hunt	jagen...........................13
to giggle	kichern 13	to hurry	eilen* 13
to give	geben................*2*, *11*, 33	to hurry up	sich beeilen 15, 21
to give a present	schenken 12	to hurt	**weh**tun *9*, 68
to give away	**ab**geben 33	to ignite	**an**zünden 18
to give off	**ab**geben 33	to imagine	sich **vor**stellen......19, 21
to give up	**auf**geben 33	to impress	beeindrucken..............15
to glance	blicken *10*, 12	to include	**ein**schließen 54
to go	gehen.................*2*, *8*, 34	to inform	informieren *10*, 14
to go away on hols	verreisen* 16, 17	to inform	**mit**teilen...................19
to go away	**weg**gehen*.................34	to inject	spritzen....................17
to go down	**hinunter**gehen*.........34	to injure	verletzen...............16, 17
to go for a walk	spazieren gehen* 34	to insist	bestehen *10*, 62
to go in	**hinein**gehen*.......19, 34	to install	installieren 14
to go out	**aus**gehen*...........19, 34	to insult	beleidigen..................15
to go to sleep	**ein**schlafen*.........19, 53	to insure	versichern 16
to go up	**hinauf**gehen* 34	to intend	**vor**haben........*8*, 19, 38
to go with others	**mit**gehen*..................34	to interpret	dolmetschen 13
to grasp	**an**fassen..............19, 17	to interrupt	unterbrechen 20
to grasp	greifen........................37	to introduce o.s.	sich **vor**stellen............21
to greet	grüßen 17	to invent	erfinden 32
to greet	begrüßen 16, 17	to investigate	untersuchen 20
to grill	grillen.........................13	to invite	**ein**laden *10*, 19, 42
to grin	grinsen 17	to iron	bügeln 13
to grow	wachsen* 71	to jog	joggen 13
to grow up	**auf**wachsen*..............71	to jump	springen* 61
to guess	schätzen 17	to keep fit	(sich) trimmen......13, 21
to hail (weather)	hageln 13	to keep	behalten....................38
to hang	hängen......................39	to keep	**auf**heben 39
to happen	geschehen* *9*, *11*, *16*, 35	to kick	treten........................67
to happen	passieren* *9*, *11*, 14	to kill	töten 18
to hate	hassen 17	to kill	**um**bringen.................28
to have	haben........*1*, *2*, *3*, *10*, 38	to kiss	küssen 17
to have to	müssen *2*, *8*, 47	to knock	klopfen 12
to have a good time	sich amüsieren 14	to know (fact)	wissen *8*, 74
to have a lie in	**aus**schlafen................53	to know (person, place)	kennen.............41

to lack	fehlen *10*, 12
to land	landen* 18
to last	dauern 12
to laugh	lachen 12
to lay (table)	decken 12
to lay down	legen 12
to laze about	faulenzen 17
to lead	führen 13
to learn	lernen 12
to leave	lassen *8, 17*, 43
to leave (house)	verlassen 16, 17, 43
to leave (journey)	**ab**fahren* 19, 30
to leave (school)	**ab**gehen* 34
to lend	leihen 44
to lend out	**aus**leihen 44
to lend out	verleihen 44
to lie down	sich **hin**legen 21
to lie	liegen 45
to lift	heben 39
to like	mögen *2, 8*, 46
to listen to	**zu**hören *9*, 19
to live	wohnen *3*, 12
to live	leben 13
to load	laden 42
to lock	**ab**schließen 54
to lock in	**ein**schließen 54
to look	blicken *10*, 12
to look	gucken 12
to look	schauen 12
to look after	sich kümmern *10*, 21
to look at	**an**sehen 57
to look at (watch)	**zu**schauen 19
to look at (watch)	**zu**sehen 57
to look for	suchen *10*, 12
to look forward to	sich freuen auf *10*, 21
to lose	verlieren *16*, 69
to love	lieben 12
to maintain	behaupten 16
to make	machen *2*, 12
to make an exception	**aus**nehmen 47
to make up (quarrel)	sich vertragen 66
to manage	**aus**kommen* 41
to mark (work)	korrigieren 14
to marry s.o.	heiraten 18
to mean	bedeuten 15
to measure	messen *17*, 46
to meet s.o.	begegnen* 9, 16, 18
to meet	(sich) treffen 21, 66
to mention	erwähnen 16
to miss (bus)	verpassen 16, 17

to miss s.o.	vermissen 16, 17
to mix	mischen 13
to modernise	modernisieren 14
to move	sich bewegen 15
to move house	**um**ziehen* 19, 75
to move in	**ein**ziehen* 75
to move out	**aus**ziehen* 75
to mow	mähen 13
must	müssen *2, 8*, 47
to name	nennen 48
to need	brauchen *8*, 12
to negotiate	handeln 13
to note	notieren 14
to notice	bemerken 15
to notice	merken 12
to obey	gehorchen 16
to observe	beobachten 16
to obtain	besorgen 15
to offer	**an**bieten 24
to offer	bieten *18*, 24
to open	öffnen 18
to open	**auf**machen 19
to operate (medical)	operieren 14
to order (drink)	bestellen 15
to order (command)	befehlen 22
to organise	organisieren 14
ought to	sollen *2, 8*, 60
to oversleep	(sich) verschlafen 53
to pack	packen 12
to pack	**ein**packen 19
to paint (picture)	malen 13
to paint	streichen 65
to paint (house)	**an**streichen 65
to park	parken 12
to party	feiern 12
to pass (at table)	reichen *11*, 12
to pay	zahlen 12
to pay for	bezahlen 15
to pay attention	**auf**passen 19
to peel	schälen 13
to persuade	überreden 20
to phone	**an**rufen 19, 51
to phone	telefonieren *10*, 14
to photocopy	fotokopieren 14
to photograph	fotografieren 14
to pick up (fetch)	**ab**holen 19
to pick (flower)	pflücken 13
to picnic	picknicken 13
to plan	planen 13
to plant	pflanzen 17

to play	spielen....*1, 2, 6, 7, 8*, 12	to rely on	sich verlassen.*10*, 16, 43
to please	gefallen *11*, 31	to remark	bemerken 15
to possess	besitzen......................59	to remember	sich erinnern *10*, 16
to post (letter)	**ein**werfen..................73	to remove	entfernen 15
to pour	gießen 36	to rent	mieten 18
to practise	üben 12	to repair	reparieren 14
to praise	loben 13	to repeat	wiederholen 20
to prefer	**vor**ziehen..................19	to replace	ersetzen 16, 17
to prepare	**vor**bereiten 18, 19	to represent	vertreten 67
to prescribe	verschreiben..............55	to reproach	**vor**werfen 73
to prevent	verhindern..................16	to rescue	retten *10*, 18
to print	drucken 13	to resemble	ähneln....................*9*, 13
to program	programmieren 14	to reserve	reservieren..................14
to promise	versprechen......*8*, 16, 60	to respect (rules)	beachten 16
to protect	schützen..............*10*, 17	to respect	achten..........................18
to protest	protestieren 14	to rest	sich **aus**ruhen............21
to pull	ziehen..................*11*, 75	to retain	behalten....................38
to punish	bestrafen 15	to ride (horse)	reiten(*) *18*, 50
to purchase	kaufen *2, 8, 9*, 12	to ring (doorbell)	klingeln *11*, 12
to purr	schnurren 13	to rise (sun)	**auf**gehen* 34
to push (door)	drücken 13	to roast	braten 26
to push	schieben 52	to row (boat)	rudern........................13
to push (shove)	(sich) stoßen...*17*, 21, 64	to rub	reiben 49
to put (flat)	legen 12	to run	laufen* 43
to put	setzen 18	to run off	**los**laufen*..................43
to put (upright)	stellen........................12	to run over	überfahren 20, 30
to put (into sthg)	stecken 12	to sail	segeln 13
to put in order	ordnen 18	to save (money)	sparen........................12
to put on make-up	sich schminken 21	to save (IT)	speichern..................13
to put on weight	**zu**nehmen 47	to save (rescue)	retten *10*, 18
to put up with	**aus**halten 38	to say	sagen 12
to quote	zitieren......................14	to say	meinen 12
to rain	regnen *11*, 18	to say	behaupten..................16
to reach (place)	erreichen 16	to say goodbye	sich verabschieden 21
to react	reagieren 14	to say nothing	schweigen 56
to read	lesen..............*10, 17*, 45	to say sorry	sich entschuldigen15, 21
to read aloud	**vor**lesen 19, 45	to search	durchsuchen 20
to receive	bekommen *8*, 16, 41	to see	sehen *2, 8*, 57
to receive	erhalten 38	to seem	scheinen *2, 8, 9*, 51
to recognise	erkennen 41	to sell	verkaufen 15, 16
to recognise	anerkennen................41	to send	schicken *8*, 12
to recommend	empfehlen *8*, 16, 22	to sense	empfinden 32
to recover	sich erholen..........*10*, 16	to separate	(sich) trennen 12, 21
to recycle	wiederverwerten ..18, 20	to serve	dienen........................13
to reduce	reduzieren 14	to serve (oneself)	(sich) bedienen............15
to refuse	sich weigern...............21	to set off	**an**fahren* 30
to register	**an**melden 18	to set off	**auf**brechen* 27
to regret	bedauern 15	to set off	starten*......................18
to reject	**ab**lehnen 19	to sew	nähen..........................13
to relax	sich entspannen..........15	to shave	sich rasieren 14

to shine	scheinen	*2, 8, 9*, 51
to shoot	schießen	*17*, 52
to shoot dead	erschießen	52
to shop	**ein**kaufen	*8*, 19
to shout	schreien	56
to shout at	**an**schreien	56
to show	zeigen	12
to show off	**an**geben	33
to shower	sich duschen	21
to sign	unterschreiben	20
to sing	singen	58
to sink	sinken*	59
to sit	sitzen	59
to sit down	sich setzen	21
to sit down	sich **hin**setzen 17, 19, 21	
to ski	Ski fahren*	30
to sleep	schlafen	*3, 8*, 53
to slim	**ab**nehmen	47
to smell	riechen	*10*, 50
to smell bad	stinken	64
to smile	lächeln	12
to smoke	rauchen	13
to smuggle	schmuggeln	13
to sneeze	niesen	17
to snow	schneien	12
to solve	lösen	13
to speak	reden	*10*, 18
to speak	sprechen	*10*, 60
to spell	buchstabieren	14
to spend (money)	**aus**geben	19, 33
to spend (time)	verbringen	*16*, 28
to spend the night	übernachten	20
to spray	spritzen	17
to spread (butter)	schmieren	13
to squash	zerquetschen	16
to stab	stechen	61
to stand	stehen	*2*, 62
to stand s.o. (like)	**aus**stehen	62
to start (engine)	**an**springen(*)	61
to stay	bleiben*	*1, 8, 9*, 26
to stay somewhere	sich **auf**halten	38
to steal	stehlen	62
to steal	klauen (slang)	13
to step	treten*	67
to sting	stechen	61
to stop	halten	*10*, 38
to stop doing sthg	**auf**hören	*10*, 19
to strike	streiken	13
to stroke	streichen	65
to stroll (aimlessly)	bummeln*	13
to stroll	schlendern*	13
to study (at uni)	studieren	14
to succeed	gelingen	*11, 16*, 34
to suffer	leiden	*18*, 44
to suggest	**vor**schlagen	19, 53
to suit	passen	*9, 11*, 17
to sunbathe	sich sonnen	21
to supervise	überwachen	20
to support	unterstützen	20
suppose to	sollen	*2, 8*, 60
to surf	surfen	12
to surprise	überraschen	20
to surround	umgeben	20, 33
to suspect s.o.	verdächtigen	16
to swim	schwimmen*	57
to swim (across)	schwimmen	57
to switch	schalten	18
to switch off	**aus**machen	19
to switch off	**aus**schalten	18
to switch on	**ein**schalten	18
to swot	pauken (slang)	13
to take	nehmen	47
to take off (plane)	**ab**fliegen*	32
to take part	**teil**nehmen	*10*, 47
to take place	**statt**finden	19
to take with	**mit**nehmen	*19*, 47
to take wrong turn	sich verfahren	21, 30
to take wrong turn	sich verlaufen	21, 43
to talk	sprechen	*10*, 60
to talk	reden	*10*, 18
to talk	sich unterhalten	20, 38
to talk to	**an**sprechen	60
to taste	schmecken	*10, 11*, 12
to teach	unterrichten	20
to tear	reißen	*17*, 49
to tear off (paper)	**ab**reißen	49
to tear up	zerreißen	16, 49
to tell (story)	erzählen	16
to tell s.o. not to come	**aus**laden	42
to test	prüfen	13
to thank	danken	*9, 10*, 12
to thank s.o.	sich bedanken	15, 21
to think	denken	*10*, 28
to threaten	bedrohen	15
to throw	werfen	73
to throw away	**weg**werfen	73
to thunder	donnern	13
to tick (box)	**an**kreuzen	17
to tidy up	**auf**räumen	19
to tie	binden	*18*, 25

to tolerate	tolerieren	14
to touch	berühren	15
to tow	schleppen	13
to train	trainieren	14
to translate	übersetzen	20
to travel	fahren*	*1*, *8*, 19, 30
to travel	reisen*	17
to travel with others	**mit**fahren*	30
to treat	behandeln	15
to tremble	zittern	13
to truant	schwänzen	17
to trust	trauen	13
to try	versuchen	16
to try (clothes, food)	probieren	14
to try on (clothes)	**an**probieren	14
to turn	drehen	13
to turn into (road)	**ein**biegen*	24
to turn off (road)	**ab**biegen*	24
to turn on	**an**machen	19
to turn round	sich **um**drehen	21
to turn to	sich wenden	18
to twist (ankle)	verrenken	16
to twist (ankle)	verstauchen	16
to understand	verstehen	*4*, 16, 62
to understand	begreifen	37
to understand	fassen	17
to understand	kapieren	14
to understand	**mit**bekommen	41
to unite	vereinigen	16
to unlock	**auf**schließen	54
to unpack	**aus**packen	19
to use	benutzen	16, 17
to use	brauchen	*8*, 12
to use	gebrauchen	16
to vacuum	Staub saugen	13
to value	schätzen	17
to visit (person, place)	besuchen	15
to visit (castle)	besichtigen	15
to wait	warten	*10*, 18
to wake s.o. up	wecken	12
to wake up	**auf**wachen*	19
to walk	gehen*	*2*, *8*, 34
to run	laufen*	43
to wallpaper	tapezieren	14
to wane (moon)	**ab**nehmen	47
to want to	wollen	2, *8*, 74
to warn	warnen	*10*, 12
to wash	(sich) waschen	21, 71
to wash up	**ab**waschen	71
to wash up	spülen	12
to waste	verschwenden	16, 18
to watch	**zu**schauen	19
to watch	**zu**sehen	57
to watch TV	**fern**sehen	57
to water	begießen	17, 36
to wave	winken	13
to wear	tragen	*2*, 66
to weep	weinen	13
to weigh	wiegen	73
to whisper	flüstern	13
to win	gewinnen	*16*, 36
to windsurf	windsurfen	13
to wipe	wischen	13
to wish	wünschen	12
to wonder	sich fragen	21
to work	arbeiten	18
to work (machine)	funktionieren	14
to write	schreiben	*1*, *2*, *10*, 55

SECTION 7 - GRAMMAR INDEX

bleiben 1
commands.................................... 2, 7
conditional tense............................ 3, 7
co-ordinating conjunctions 5
dass.. 5
English meanings of tenses 6
future tense 3, 7
haben 1
imperative................................... 2, 7
imperfect tense 2, 6
impersonal verbs 11
infinitive 1
infinitive with zu 8
infinitive without zu 8
inseparable prefixes............................ 4, 15
inseparable verbs 20
irregular verb tables............................ 22-75
irregular verbs................................... 1, 2
modal verbs 8
object 4
past participle 3
past participle with no **ge** 14-16, 20
perfect tense.................................... 1, 6
persons of the verb 4
pluperfect tense 3, 7
plural.. 4
prefixes.. 4
present tense 1, 6
questions...................................... 4
reflexive verbs 21
regular verbs...................................... 1, 12
sein 1
separable prefixes.......................... 4
separable verbs 2, 19
simple past tense...................................... 2
singular.. 4
stem 1

strong verbs 1
subject.. 4
subordinating conjunctions..................... 5
tenses 1
verbs ending in **-chnen** 18
verbs ending in **-cknen** 18
verbs ending in **-den**.......................... 18
verbs ending in **-dnen**......................... 18
verbs ending in **-eln** 12
verbs ending in **-ern** 12
verbs ending in **-fnen** 18
verbs ending in **-gnen**......................... 18
verbs ending in **-ieren** 14
verbs ending in **-sen**........................... 17
verbs ending in **-ßen**.............................. 17
verbs ending in **-ten**.............................. 18
verbs ending in **-tmen** 18
verbs ending in **-zen** 17
verbs followed by preposition 10
verbs followed by dative............................9
verbs followed by nominative 9
verbs starting with **be-** 15, 16
verbs starting with **emp-** 16
verbs starting with **ent-** 15
verbs starting with **er-** 16
verbs starting with **ge-**.......................... 16
verbs starting with **ver-** 16
verbs starting with **zer-** 16
verbs used with *es*............................... 11
verbs with inseparable prefixes 15
weak verbs 1
weil 5
wenn... 5
werden 1
word order 5

TO FIND A VERB IN THIS BOOK

- Check the index: German-English   see pages 76-82

                               English-German   see pages 83-90

- If the verb is not listed in the index, follow these guidelines, which may help:

If the infinitive ends in **–chnen**	see page 18
If the infinitive ends in **–cknen**	see page 18
If the infinitive ends in **–den**	see page 18
If the infinitive ends in **–dnen**	see page 18
If the infinitive ends in **–eln**	see page 12
If the infinitive ends in **–ern**	see page 12
If the infinitive ends in **–fnen**	see page 18
If the infinitive ends in **–gnen**	see page 18
If the infinitive ends in **–ieren**	see page 14
If the infinitive ends in **–sen**	see page 17
If the infinitive ends in **–ßen**	see page 17
If the infinitive ends in **–ten**	see page 18
If the infinitive ends in **–tmen**	see page 18
If the infinitive ends in **–zen**	see page 17

- Check the basic form of the infinitive. The verb may have a separable prefix such as:
ab-, an-, auf-, aus-, ein-, fern-, fort-, her-, hin-, mit-, nach-, vor-, vorbei-, weg-, weiter-, zu-, zurück-, zusammen-.
The verb may be a compound of a verb which is listed. Look up the verb without its prefix in the index. An example of a separable verb is shown on page 19.

- Check the basic form of the infinitive. The verb may have an inseparable prefix such as:
be-, emp-, ent-, er-, ge-, ver-, zer-.
The verb may be a compound of a verb which is listed. Look up the verb without its prefix in the index. An example of a verb with an inseparable prefix is shown on page 15.

- Check the basic form of the infinitive. The verb may be an inseparable verb with a prefix such as:
durch-, hinter-, über-, um-, unter-, wider-, wieder-.
The verb may be a compound of a verb which is listed. Look up the verb without its prefix in the index. An example of an inseparable verb is shown on page 20.
The same prefixes may (much more rarely) be separable.

- Reflexive verbs are listed in the German-English index under the first letter of the infinitive:

    sich **d**uschen   see page 21

- Remember that some verbs will have more than one of the above features.

    sich vergewissern   see pages 12, 15, 21

- To check the English meanings of a tense   see pages 6-7